Narratori ◀ Feltrinelli

Alessandro Baricco
Smith&Wesson

Stampa Grafica Veneta S.p.A. di Trebaseleghe - PD

ISBN 978-88-07-03122-9

FSC
www.fsc.org
MISTO
Carta
da fonti gestite in
maniera responsabile
FSC® C021883

www.feltrinellieditore.it
Libri in uscita, interviste, reading,
commenti e percorsi di lettura.
Aggiornamenti quotidiani

IL RAZZISMO
È UNA
BRUTTA STORIA.
razzismobruttastoria.net

Smith&Wesson

ATTO PRIMO

PRIMO MOVIMENTO, *Allegro.*

Non lontano dalle cascate del Niagara, anno 1902.

Interno di una baracca povera, incasinata ma dignitosa.

Un uomo sdraiato sul letto. Non sta necessariamente dormendo. È lì, tranquillo.

Bussano alla porta.

WESSON
[*l'uomo sdraiato sul letto*] Chi è?
SMITH
[*da fuori*] La signora Higgins, su all'albergo, mi ha parlato di lei. Mi ha detto che potevo venirla a trovare.
WESSON
La signora Higgins è una puttana!

Pausa.

WESSON

Mi ha sentito?

SMITH

[*sempre da fuori*] Sì, l'ho sentita. È che non ho alcuna opinione al riguardo. Posso entrare?

WESSON

Spinga, è aperto.

Smith entra, si accorge che l'altro è a letto.

SMITH

Mi scuso, non sapevo che dormisse...

WESSON

Non dormo, sto a letto. Ogni quattro mesi sto a letto per cinque giorni, serve a rimettere a posto gli organi interni, la posizione orizzontale li riporta in equilibrio, sto a letto e mangio passato di fave. Mi alzo solo a pisciare, ma di rado. E a scaldare il passato di fave.

SMITH

Notevole.

WESSON

Dovrebbe provare.

SMITH

Non è un tantino noioso?

WESSON

La noia fa parte della cura.

SMITH

Giusto. Le spiace se prendo una sedia?

WESSON

Faccia, faccia.

SMITH

[*prendendo una sedia e sistemandosi di fianco al letto*] È la signora Higgins che mi ha parlato di lei.

WESSON

Bellissima donna, l'avrà notato.

SMITH

Splendida, sì.

WESSON

Non ha marito, non ha figli, non quadra. Allora uno si chiede con chi va a letto, e perché, lei se l'è chiesto?

SMITH

Non mi ricordo di essermelo chiesto, no.

WESSON

Coi clienti!

SMITH

Giusto.

WESSON

Una puttana, ma non mi fraintenda. Lo fa per passione, mica si fa pagare, non gira un dollaro, è solo per passione. Donna ammirabile. Lei alloggia all'hotel?

SMITH

Ci ho alloggiato per tre settimane.

WESSON

Successo niente?

SMITH

In che senso?

WESSON

Con la signora Higgins.

SMITH

No, niente.

WESSON

È piuttosto selettiva.

SMITH

Immagino.

WESSON

Predilige gli avvocati. Lei è avvocato?

SMITH

Io? Io faccio il meteorologo.

WESSON

Sarebbe?

SMITH

Dispongo di un metodo tutto mio per prevedere il tempo, l'ho brevettato, funziona abbastanza. Uso la statistica, sa cos'è?

WESSON

Faccia un esempio.

SMITH

Prendiamo Chicago. E prendiamo un giorno dell'anno. Poniamo il giorno di Natale. Ecco. Io so che tempo ha fatto il 25 dicembre a Chicago negli ultimi settantasette anni.

WESSON

E a chi cazzo può interessare che tempo ha fatto a Natale dieci anni fa?

SMITH

A me.

WESSON

Seriamente?

SMITH

Se so che tempo ha fatto, posso prevedere che tempo farà. Se in settantasette anni la gente di Chicago, il giorno di Natale, si è svegliata sotto la neve per 62 volte, io so che il prossimo Natale ha 4 probabilità su 5 virgola 7 di svegliarsi nello stesso identico modo: potrei anche dirle quanti centimetri di neve avranno probabilmente sul vialetto.

WESSON

Ci campa, con 'sta roba?

SMITH

Inizia a girare bene. Se lei vendesse pale da neve a Chicago, ad esempio, avrebbe un certo interesse a vedere le mie statistiche.

SMITH

WESSON

Non venderei mai pale da neve a Chicago.

SMITH

Era un esempio.

WESSON

D'estate dovrei trovarmi un altro lavoro.

SMITH

Probabilmente.

WESSON

Io ogni giorno so che tempo farà domani.

SMITH

Come lo sa?

WESSON

Guardo i colori del fiume. Gliel'hanno detto cosa faccio io di mestiere?

SMITH

Sì, mi hanno detto chi è lei. La chiamano il Pescatore. Ma non pesca pesci, lo so. Pesca... come potrei dire? Corpi?

WESSON

Guardo i colori e guardo come si muove il fiume, quanto è alto, quanto è veloce, come muove il culo. Lui sa che tempo farà, e me lo dice.

SMITH

Sbaglia spesso?

WESSON

Raramente. È per questo che è venuto da me?

SMITH

No. Non ero al corrente di questa cosa dei colori.

WESSON

E allora?

SMITH

Vede, non ci sono poi tanti venditori di pale da neve, a

Chicago, e così mi sono detto che forse era preferibile orientarsi verso certe mete turistiche. Mi segue?

WESSON

Vada avanti.

SMITH

Così ho pensato alle cascate. Vengono da ogni parte per vedere questo spettacolo, sta diventando una vera mania. Così sono venuto a vedere. E ho deciso di fermarmi. Devo stilare le mie tabelle. Ci metterò un po'.

WESSON

Tabelle.

SMITH

Il tempo che ha fatto negli ultimi settantasette anni, ogni giorno che dio ha mandato in terra, qui alle cascate.

WESSON

E come fa?

SMITH

Un po' consulto gli archivi del municipio, leggo i vecchi giornali. Ma si trova poco. Allora chiedo alla gente.

WESSON

Figurati se la gente si ricorda che tempo ha fatto quarant'anni fa.

SMITH

È quello che pensano tutti. Ma non è vero. La gente si ricorda.

WESSON

Palle.

SMITH

Quand'è l'ultima volta che ha pescato un uomo, là sotto?

WESSON

Tre marzo scorso. Un pezzo grosso, un banchiere di New York. Ha alloggiato per tre giorni al Great Falls, poi quando la macchina già lo aspettava per andarsene ha ordinato una coppa di champagne e ha detto che anda-

16

va ancora a dare un'occhiata. Se n'è andato da solo fino al ponte, ha scolato il suo champagne e poi si è buttato di sotto. Sa cos'è l'ultima cosa che ha fatto prima di tirarsi giù?

SMITH

Me lo dica lei.

WESSON

Si è tolto i guanti, lentamente, e li ha appoggiati sul parapetto del ponte. La cosa curiosa è che aveva il cappello, in testa, un bel cappello da banchiere, ma quello mica se l'è tolto, è saltato giù con il suo bel cappello... La gente è strana.

SMITH

Dove l'ha ripescato?

WESSON

Giù alle rapide, nell'ansa dei pioppi. È stato un po' un casino recuperarlo perché il corpo si era andato a incastrare sotto un groviglio di roba, lontano da riva. Ho dovuto prendere la barca, e poi pioveva, e tirava un vento della malora, ti entrava l'acqua dappertutto, una rottura di coglioni.

SMITH

Visto?

WESSON

Visto cosa?

SMITH

Tre marzo 1902, vento e pioggia, freddo. Permette se prendo un appunto?

WESSON

Che cazzo fa?

SMITH

[*prendendo nota in un taccuino che si è tirato fuori dalla tasca*] Era pomeriggio, mattina, sera? Se lo ricorda vero?

WESSON

Pomeriggio.

SMITH

Pomeriggio. [*Chiude il taccuino*] Vede, la gente sa che tempo ha fatto.

WESSON

Che discorso, quel giorno ho ripescato un uomo dal fiume!

SMITH

Lei negli ultimi ventiquattro anni ha ripescato 217 corpi dal fiume, sono sicuro che lavorando un po' insieme potrà essermi di enorme utilità.

WESSON

Okay, io pesco i morti dal fiume, ma gli altri? La gente non pesca morti dal fiume e non può ricordarsi...

SMITH

Ma un giorno hanno visto morire il padre. O sono saliti per la prima volta su un treno. Hanno baciato una donna, hanno vinto una gara, hanno perso un sacco di soldi, sono entrati nella casa nuova, sono usciti da un ospedale. Giorni speciali. Posso permettermi di chiederle se si ricorda la prima volta che ha visto il suo nome sul giornale?

WESSON

Certo, c'ho il ritaglio là, hanno anche sbagliato il nome quei bastardi.

SMITH

L'aveva comprato o glielo fecero vedere?

WESSON

Le sembro uno che compra i giornali? Venne al fiume Horace, lo sventolava per aria, gridava, me lo portò lui.

SMITH

Correva verso il fiume sventolando il giornale. In che tipo di luce?

WESSON

Molta luce, direi. Molta luce. Era una bella mattina, molto calda.

SMITH

Visto?

WESSON

Cazzo.

SMITH

Non le spiace, vero, se mi faccio una nota? [*Ritira fuori il taccuino.*]

WESSON

Ci ha provato con la signora Higgins?

SMITH

"Provato" in quale accezione del termine, se posso chiedere?

WESSON

No, non in quel senso là, nel senso di chiederle del tempo, quella roba lì.

SMITH

No. La signora mi incute una certa soggezione.

WESSON

È per via di quanto è bella.

SMITH

Sì, è plausibile.

WESSON

Quindi non le ha chiesto niente.

SMITH

Non ho mai trovato un modo elegante per entrare nell'argomento.

WESSON

Peccato.

SMITH

È senz'altro una circostanza che merita un certo disappunto.

WESSON
Ma lei è sempre così...

SMITH
Così come?

WESSON
Liscio... cioè, lei non alza mai la voce, non dà di matto, cioè, sempre così tranquillo, sì?

SMITH
Piuttosto.

WESSON
Piuttosto?

SMITH
Mi accade saltuariamente di perdere il controllo, sì, se è questo che intende dire. E solo al cospetto di alcune, poche, e molto circoscritte situazioni.

WESSON
Ah. Com'è messo con il passato di fave?

SMITH
Non sono sicuro di capire.

WESSON
Le piace, le fa schifo, cosa?

SMITH
Lo rispetto, diciamo.

WESSON
Ecco, allora, le dispiace alzarsi e andarne a scaldare un po'? Trova tutto sul fuoco. Così non mi alzo, e continuo la cura.

SMITH
D'accordo. [*Si alza, va verso un angolo della baracca dove c'è un fornelletto.*]

WESSON
Deve solo accendere il fuoco, poi prende il cucchiaio di legno e non smette di girare mai, lentamente però.

SMITH
  D'accordo.
WESSON
  Davvero la signora Higgins le ha parlato di me?
SMITH
  Sì.
WESSON
  Cosa le ha detto?
SMITH
  Che nessuno conosce le cascate come lei. È vero?
WESSON
  Certo.
SMITH
  E mi ha raccontato che lei trova tutti i morti. Come fa?
WESSON
  C'ho la mappa in testa. La mappa del fiume. Me la sono costruita a forza di provare. Avevo cinque anni e già facevo quello tutto il tempo. Tutto quello che trovavo lo buttavo nel fiume, poi stavo a vedere che strada faceva. E me lo inchiodavo nella memoria. Ogni tanto in barca, a farmi trasportare. Adesso se lei getta un tronco nel fiume, ma anche un banchiere, quello che vuole, io posso lasciargli fare tre miglia per le rapide, lasciarlo saltare giù con la cascata, vederlo scomparire sotto, ed è sicuro che me lo piglio al volo, dopo tutto quel bel viaggetto, dove so io.
SMITH
  Considerato che questa è la capitale mondiale dei suicidi, promette di essere un lavoro redditizio.
WESSON
  No, guardi, non lo faccio mica per denaro. Non voglio un dollaro, io. Per campare faccio altro.
SMITH
  Sul serio?

WESSON

Ho un chiosco, giù, alle cascate... souvenir, cose così. Quando ho voglia lo apro. Ogni tanto porto in giro la gente in barca.

SMITH

Sembra rilassante.

WESSON

Lo è. Deve girare più lentamente.

SMITH

Sto girando lentamente.

WESSON

Non abbastanza lentamente.

SMITH

Lei mi ha detto lentamente, io sto girando lentamente.

WESSON

Ma non abbastanza.

SMITH

Allora doveva dirmi molto lentamente.

WESSON

Io dovevo dirle...

SMITH

[*in un crescendo*] Guardi che le parole sono piccole macchine molto esatte, mi creda, se uno non le sa usare, tanto vale che non le usi, è meglio per tutti che si rassegni a restare quello che è, cioè un rozzo animale che a fatica indica col dito le cose cercando di ricordarsi qualche fonema che le significhi, ma senza lamentarsi poi se la gente lo prenderà a calci come un cane randagio, perché è questo che si merita, se neanche sa staccare un paio di parole correttamente, tipo girare molto lentamente il cucchiaio di legno, se lo giri lei, allora, si alzi da quel lurido letto, rimetta in posizione verticale le zozze interiora che si porta dentro, e che tanto saranno irrimediabilmente compromesse dal fatto di vivere nel posto più schifosamente umido della terra, faccia questi quattro fottuti metri e si giri da solo il suo rivoltante passato di fave che solo l'odore fa vomitare, dio madonna!

Breve pausa.

SMITH
[*d'improvviso calmissimo*] La prego di scusarmi, ho avuto un padre molto severo.
WESSON
Fantastico. Non recitava, vero? Cioè non l'ha fatto per me?
SMITH
No, assolutamente. Non sopporto di essere rimproverato.
WESSON
Sorprendente.
SMITH
Col tempo ci si abitua.
WESSON
Ha smesso di girare. No! Scherzavo. Che tipo...
SMITH
La prego di scusarmi.
WESSON
Ma si figuri... Qua la mano, lei mi piace.
SMITH
Non le ho nemmeno ancora detto il mio nome. Smith.
WESSON
Piacere, Wesson. [*Si stringono la mano.*]

Lunga pausa.

SMITH
Ma che peccato.

WESSON
Boia...
SMITH
Proprio Wesson, come quello là?
WESSON
Smith proprio Smith, Smith?

Pausa ad libitum in cui i due imitano l'uso di pistole e fucili, mostrando il loro incondizionato disgusto per qualsiasi arma. Quel genere di siparietto che al debutto dura sei secondi e dopo due anni di tournée può durare un'eternità.

WESSON
Va be'.
SMITH
Riprendo a girare, non vorrei che attaccasse.
WESSON
Magari non lo diciamo in giro.

Smith torna al fornello.

SMITH
Una soluzione potrebbe essere quella di chiamarsi per nome.
WESSON
Ottimo!

Smith si avvicina di nuovo al letto e tende la mano verso Wesson.

SMITH
Tom. È un piacere.
WESSON
Jerry. Il piacere è mio.

SECONDO MOVIMENTO, *Allegro.*

*Esterno. Un alto pontile che si spinge nel vuoto, sul fiume,
proprio ai piedi della cascata. C'è un gran frastuono di acqua,
per cui i due, che sono a qualche metro uno dall'altro, devono
urlare per cercare di farsi capire.*

SMITH
     È terrificante!
WESSON
     Da cagarsi sotto, eh?
SMITH
     Cosaaaa?
WESSON
     Da cagarsi sotto!
SMITH
     Sotto cosa?
WESSON
     [*tra sé*] Va be'.
SMITH
     Ah, là sotto.
WESSON
     Non si sporga.
SMITH
     Quanti metri sono?
WESSON
     Cinquanta.
SMITH
     Metri, dico.
WESSON
     Cinquanta metri.
SMITH
     Sì, metri.

WESSON

Cinquanta, cazzo!

SMITH

Perché pazzo?

WESSON

[*tra sé*] Ossantocielo...

SMITH

Secondo me sono cinquanta.

WESSON

C'è troppo casino qua, venga con me. [*Fa per risalire il pontile verso terra.*]

SMITH

[*lo segue*] Non sono sicuro che sia stata una buona idea quel bicchiere di cognac prima di venire qui.

WESSON

Cosa?

SMITH

Il cognac!

WESSON

Non l'ho portato il cognac.

SMITH

Tende a salire un po' alla testa.

WESSON

Si tenga!

SMITH

Non cado!

WESSON

Non si sa mai, non ho voglia di venirla a ripigliare.

SMITH

Le dico che non cado.

WESSON

Ho detto di tenersi.

SMITH

Mi sto tenendo.

WESSON
Quello lo chiama tenersi?
SMITH
Questo lo chiamo come mi pare, se le dico che non cado
non cado, adesso perché è nato su questo fiume del cazzo non vuol dire che tutti gli altri sono dei completi coglioni, io ad esempio...

*Si blocca, poi torna a stringere le mani sulla balaustra e rimane
lì, rigido, con lo sguardo nel vuoto.*

WESSON
Tutto bene?
SMITH
Credo di avere improvvisamente una certa voglia di vo-
mitare.
WESSON
Stia fermo, la tengo io.
SMITH
Un'intensa voglia di...
WESSON
Si tenga a me. Ce ne andiamo.
SMITH
Non ho mai sofferto di vertigini, giuro.
WESSON
Certo che le ha proprio modificato qualcosa nel cervello...
SMITH
Cosa?
WESSON
No, dico... suo padre, doveva essere veramente severo
'sto padre.

Smith si sporge verso il vuoto e vomita oltre la balaustra.

WESSON
Cosa fa?

SMITH
Ho vomitato.

WESSON
Lei ha vomitato nelle cascate del Niagara!

SMITH
Lo considero un privilegio!

WESSON
Lo è, cazzo! Dobbiamo andare a festeggiare.

SMITH
24 febbraio 1902, il giorno in cui Tom Smith, uomo semplice se ce n'è uno al mondo, si è chinato sul grembo della natura solenne e selvaggia e tra le sue braccia...

Vomita un'altra volta.

WESSON
Olè.

SMITH
È il passato di fave.

WESSON
L'ha mangiato cinque giorni fa!

SMITH
Il passato di fave più il cognac.

WESSON
Venga.

SMITH
In pratica bisogna immaginare il cognac che precipita su un letto di passato di fave, innescando un processo...

WESSON
Dobbiamo assolutamente tornare a casa.

SMITH

Lo ha come risvegliato, capisce? Sonnolento, il passato di fave giaceva acquattato nei dintorni del duodeno quando il cognac si è fiondato a ridestarne il vigore, così da...

WESSON

Zitto!

SMITH

Scusi.

WESSON

Neanche più una parola.

SMITH

D'accordo.

WESSON

Zitto! Se deve rispondere, risponda muovendo la testa.

SMITH

[*muove energicamente la testa per dire sì, d'accordo.*]

WESSON

Piano! Non si sbatta troppo, che poi...

SMITH

No, adesso sto molto meglio...

WESSON

E allora!

TERZO MOVIMENTO, *Andante Allegro Andante.*

Stessa baracca dell'inizio. Smith è sdraiato sul letto, ha una pezzuola sulla fronte. Wesson è seduto su una sedia accanto al letto, fuma una pipa di granturco. Stessa situazione dell'inizio ma ribaltata.

SMITH

Perché lo fanno?

WESSON

Buttarsi?

SMITH

Sì.

WESSON

Che domanda. La gente si ammazza, succede.

SMITH

Sì, ma perché da lì.

WESSON

Ah, quello... Che ne so... è spettacolare, ecco.

SMITH

Cioè?

WESSON

Piuttosto che spararsi chiusi in una stanza... È come un grande teatro, no? Forse hanno nella testa di fare la loro ultima grande recita. Gran finale, mi spiego?

SMITH

Sì.

WESSON

Molti anni fa, proprio agli inizi di tutto il baraccone, venne uno da Filadelfia, uno che aveva fatto i soldi con un circo. Vide le cascate e disse: Non male, ma non succede niente. Così in quattro e quattr'otto mise su uno spettacolo. Per lui quelle non erano delle cascate, erano un palcoscenico.

SMITH

Ha messo un teatro là sopra?

WESSON

No. Ho detto che faceva il circo, ci sente?

SMITH

Benissimo.

WESSON

Prese un barcone, un vecchio barcone che stava per andare in pezzi, si chiamava *Michigan*, be', lo comprò e disse che una certa sera a una certa ora l'avrebbe fatto cadere dalle cascate. Poi si mise a vendere i biglietti.

SMITH

Lei c'era?

WESSON

Non ho finito. Dato che era un genio, sa cosa ci mise sul barcone? Animali.

SMITH

Animali.

WESSON

Vivi. Una capra, un maiale, due tacchini, una bufala e un orso, un orso vero.

SMITH

Non ci credo.

WESSON

I biglietti andarono a ruba. Tutti seduti alla Tower Rock a vedere lo spettacolo.

SMITH

Lei c'era?

WESSON

No, ma mio padre sì, per questo so come è andata a finire.

Lunga pausa.

SMITH

Devo pagare per sapere com'è andata a finire?

WESSON

Mollò il *Michigan* in mezzo alla corrente, un po' a monte delle cascate. Gli animali iniziarono a urlare a squarciagola... si dice urlare?

SMITH

Dipende di che animale stiamo parlando. La capra iniziò a belare, ad esempio, su questo non mi sento di nutrire dubbi.

WESSON

No, dico, tutti insieme, tutti gli animali insieme. Strillarono?

SMITH

Lo escludo.

WESSON

Mugghiarono?

SMITH

La bufala, forse.

WESSON

E va be', allora lo dica lei, cazzo, visto che sa tutto!

SMITH

Alzarono un lamento agghiacciante che sembrava provenire dai precordi di una natura selvaggia e ancestrale.

Pausa.

WESSON

Va be'. Gli animali iniziarono a urlare a squarciagola, no?... come li stessero sgozzando, finché il *Michigan* non si mise a sbandare, prese in pieno uno scoglio affiorante...

Qualcuno bussa alla porta.

SMITH

Chi diavolo è?

RACHEL

[*da fuori*] Mi chiamo Rachel Green, sono un'amica della signora Higgins!

SMITH

La signora Higgins è una puttana!

Pausa.

SMITH

Mi ha sentito?

RACHEL

Non dica bestialità e mi faccia entrare!

SMITH

Spinga, è aperto!

RACHEL

[*entra. È una ragazza giovane, sui vent'anni.*] Cos'è, odia il mondo, per andarsi a seppellire in un posto simile?

SMITH

Prego?

RACHEL

[*dirigendosi verso Smith*] Rachel Green, piacere, inviata del "San Fernando Chronicle". È lei Jerry Wesson, detto il Pescatore?

SMITH

Io?

RACHEL

No, non è lei. Allora lei è Smith e lei è Wesson. Piacere, Rachel Green, inviata del "San Fernando Chronicle". Permette? [*Si siede al fondo del letto.*]

SMITH

Veramente da queste parti siamo generalmente propensi a odiare i giornalisti.

RACHEL

Molto originale, complimenti. Niente da mettere sotto i denti?

WESSON

Ci sarebbe del vecchio passato di fave.

SMITH
Cognac.

RACHEL
Credo che prenderò il cognac.

SMITH
Ottima scelta. Signor Wesson, le dispiace...

RACHEL
Ci si spezza le reni, eh, da queste parti?

SMITH
Non fraintenda, è capitata in un raro momento di rilassa-
mento conseguente a un'esperienza a suo modo trauma-
tizzante.

RACHEL
Non sono sicura di seguirla.

WESSON
[dall'angolo in cui sta prendendo la bottiglia di cognac] È
venuta a rompere i coglioni all'ora della pennica.

RACHEL
Ah. Certo. Mi scuso.

SMITH
Scusata. Ma sarebbe così gentile da spiegarci chi è lei e
cosa ci fa qui?

RACHEL
Giusto. Volete la versione lunga o quella corta?

WESSON
Corta! [Le porge un bicchiere di cognac.]

RACHEL
D'accordo. Sono una giornalista, ho tre dollari e diciotto
cent in tasca e se non trovo una notizia vera in questo
cesso in cui non succede mai niente, domani finisco a fare
le pulizie dalla signora Higgins.

Pausa.

SMITH

A ben vedere potrebbe non essere inutile ascoltare anche la versione lunga.

RACHEL

Bene. Mi chiamo Rachel Green, ho ventitré anni. Due anni fa sono scappata di casa per ragioni che sono fatti miei e che non voglio ricordare. Avevo un sogno, scrivere. Io scrivo sorprendentemente bene, sapete? Così ho pensato di provare con il giornalismo. È da lì che bisogna iniziare. Da due anni lavoro al "San Fernando Chronicle", e la cosa più affascinante che mi sia toccato di fare è stata compilare la tabella delle maree. A quanto pare se sei una donna di ventitré anni, quello che il giornalismo americano ha da parte per te è portare sandwich in redazione e la sera tardi fare pompini al tuo capo. Uno schifo. Me ne stavo zitta, sopportavo, ma nove giorni fa non ce l'ho più fatta e mi son messa a gridare come una matta, proprio in mezzo alla redazione. Credo di aver detto di tutto, e in particolare che erano una banda di porci. Il capo non ha fatto una piega, si è alzato dalla sua scrivania, aveva un foglio in mano, mi si è avvicinato e mi ha detto:
Vuoi fare la giornalista? Fallo.
E mi ha allungato il foglio.
Ti do dieci giorni per portarmi un pezzo da prima pagina, mi ha detto.
Questo è il foglio.

Lo porge ai due, che leggono.

SMITH

"Le cascate del Niagara, il paradiso delle lune di miele"?

RACHEL

Esatto. Mi son pagata il viaggio, sono arrivata qui, ho indagato ed ecco cosa ho scoperto: la gente fa la luna di miele qui. Nessuno sa perché. Fine della storia.

SMITH
In effetti mi sono chiesto anch'io ripetutamente...

RACHEL
Non ho neanche più i soldi per tornare. Se entro ventiquattr'ore non mando uno straccio di notizia, son fottuta.

WESSON
Guardi che a fare le pulizie dalla signora Higgins si guadagna abbastanza bene.

RACHEL
Riesce a capire che avevo altri progetti?

WESSON
Certamente.

RACHEL
Ecco.

SMITH
Resta da comprendere come mai, disponendo di un tempo così drammaticamente limitato, abbia pensato di occuparlo venendo a trovare due che, glielo assicuro, non sono qui in luna di miele.

RACHEL
[a Wesson] Ma questo come parla?

WESSON
Bene. Parla bene.

RACHEL
Mettiamola così...

WESSON
Se vuole le traduco.

RACHEL
No, no, ho capito benissimo. Vuole sapere perché sono qui.

WESSON
È una buona domanda...

RACHEL

Son qui perché non la voglio dar vinta a quei porci, non voglio tornare a casa da mio padre e non desidero rinunciare ai miei sogni. Son qui perché se mi arrendo questa volta mi arrenderò tutta la vita.

SMITH

Quindi?

RACHEL

Ho un piano, e voi due mi servite.

WESSON

Noi due.

RACHEL

Non ci sono notizie in questo spettacolare buco di culo? Bene. Allora la notizia la creo io. Ecco quello che ho pensato.

WESSON

Sarebbe?

RACHEL

Faremo accadere qui qualcosa che non è mai successo prima.

SMITH

Faremo?

RACHEL

Esatto. *Faremo.* Voi due e io.

WESSON

Qualcosa tipo cosa?

SMITH

No, un attimo, la prevengo: noi due siamo entrambi molto occupati.

RACHEL

A scaldare il letto?

SMITH

Come l'ha capito?

RACHEL

Non l'ho capito, è che io so tutto di voi. Faccio la giornalista, mi sono informata.

SMITH

Tutto cosa?

RACHEL

Volete davvero saperlo?

SMITH

Dipende...

WESSON

Macché "dipende", certo che voglio sapere...

RACHEL

Signor Smith, le spiace se inizio da lei?

SMITH

Se è proprio necessario...

RACHEL

Mi affascina questa storia delle sue tabelle statistiche.

SMITH

La ringrazio.

RACHEL

Ne parlano tutti, qui. Allora ho fatto due conti. Sa quanto tempo le occorrerebbe per finire di compilarle? Trentadue anni, e guardi che è una proiezione ottimistica. Quindi è tutta una balla. Così mi è venuta la curiosità di capire perché si era venuto a seppellire qui. Mi ci son voluti un paio di giorni, ma poi la signora Higgins mi ha chiarito la situazione. Riassumo io?

SMITH

Prego.

RACHEL

Lei è un inventore piuttosto geniale, forse troppo geniale, o semplicemente sfortunato. Sta di fatto che è ricercato per debiti in quattro stati dell'Unione. I suoi investitori non sembrano essere particolarmente soddisfatti del suo modo di impostare gli affari.

WESSON

[a Smith] Ma che cavolo...

SMITH

Nieeeente, poi le spiego...

RACHEL

Nello Iowa invece è ricercato per truffa, ma lì per un'altra questione. Sbaglio o per un po' ha esercitato l'attività di mago?

SMITH

Una passione passeggera...

RACHEL

Faceva sparire oggetti e persone.

SMITH

Volendo.

RACHEL

Poi è sparito lei.

SMITH

E guardi che non era affatto facile...

RACHEL

In effetti sono ancora lì che la cercano, congratulazioni.

SMITH

La ringrazio.

RACHEL

Prima di conoscerla pensavo che se ne fosse venuto qui per farla finita, ma adesso so che se ha pensato di tirarsi giù dalle cascate dev'essere stato giusto per un attimo. A lei piace troppo la vita, vero?

SMITH

La trovo un'imbarazzante circostanza che può riservare impareggiabili soddisfazioni.

RACHEL

Ecco. Per cui niente suicidio. Che ci sta a fare allora qui?

SMITH

Potrei provare a spiegare.

RACHEL

Più tardi. Prima dobbiamo dedicarci un attimo al signor Wesson, detto il Pescatore.

WESSON

Sì, il Pescatore.

RACHEL

Ma il vero Pescatore era suo padre, una specie di eroe locale, una leggenda. Perché lui li pescava vivi, o sbaglio?

WESSON

Cosa vuole dire?

RACHEL

Sapeva salvarli, ne salvò undici, in trent'anni, dalle correnti del fiume, e morì cercando di salvare il dodicesimo, un ragazzino, aveva appena nove anni, il Pescatore lo vide scivolare nell'acqua, stava giocando, scivolò nell'acqua, a non più di un centinaio di metri dalle cascate. Il Pescatore si buttò, arrivò ad afferrarlo e tenendolo stretto tra le braccia sparì insieme a lui nei gorghi, facendo un pauroso volo di cinquanta metri. Quando lei lo ritrovò, Wesson, qualche miglio a valle, lo trovò morto, ma ancora stringeva il bambino.

WESSON

Non l'aveva mollato, no.

SMITH

[*tirando fuori il taccuino*] Si ricorda per caso se era una giornata tersa o...

RACHEL

Non l'ha mollato perché era un eroe. Ma essere figlio di un eroe non è facile. Lei poteva lasciar perdere e andare a fare, che so, il macellaio a Newport, ma il fiume era la sua passione, e suo padre le aveva insegnato a capirlo, a conoscerlo, e a prevedere le sue mosse. Così è rimasto qui, e alla gente non parve vero di poter avere un altro eroe, un altro Pescatore, così incominciarono a confondere le storie e i numeri, come se lei e suo padre foste uno stesso personaggio. In fondo un bel destino, ma a lei manca qualcosa vero? Manca qualcosa di veramente suo, una storia memorabile, una prodezza, un miracolo tutto suo. Trovare cadaveri come un cane da caccia non è male, ma lei...

WESSON

Chi gliel'ha raccontata questa storia?

RACHEL

Be', qui la sanno tutti...

SMITH

Veramente io non...

WESSON

Ma un giorno farò qualcosa di grande e non sarò più il fantasma di mio padre, questo gliel'hanno detto?

RACHEL

Non ancora.

WESSON

Allora glielo dico io. È quel che voglio, essere me stesso. Capisce cosa voglio dire?

RACHEL

Certo. È quello che vogliamo tutti, signor Wesson. Esistere.

SMITH

Lei è sicura, sì, di avere ventitré anni?

RACHEL

Ho una domanda, signori, poi ho concluso: quanti soldi avete in tasca?

SMITH

Dodici dollari e settantacinque cent.

WESSON

Che ne so. Tre, quattro dollari.

RACHEL
Bene, coi miei fanno in totale circa diciannove dollari. E
adesso riassumo: ci aspettavamo un sacco di cose dalla
vita, non abbiamo combinato niente, stiamo scivolando
giù nel nulla e lo stiamo facendo in un buco di culo dove
una splendida cascata ogni giorno ci ricorda che la miseria
è un'invenzione degli uomini e la grandezza il normale an-
dazzo del mondo. Potremmo spararci, ma non abbiamo
neanche i soldi per comprare una pistola. Quindi siamo
nella merda, tutti e tre, e una sola cosa ci può salvare.

WESSON
Sarebbe?

RACHEL
Il nostro talento.

SMITH
Sarebbe?

RACHEL
[*rivolta a Smith*] La sua genialità, Smith. [*Rivolta a Wesson*] Tutto quello che sa del fiume, Wesson, e che nessuno al mondo sa.

Pausa.

SMITH
Manca il suo, di talento, signorina.

RACHEL
Be', mi sembra ovvio. Io ho ventitré anni. [*Si ricorda improvvisamente di qualcosa. Tira fuori un orologio*] Cavolo,
la signora Higgins! [*Si alza*] Ora devo proprio andare.

WESSON
Eh no, scusi...

RACHEL
Ho promesso alla signora Higgins che le avrei fatto un
massaggio in cambio di un'altra notte all'albergo.

WESSON
Sì, okay, ma non ha detto...

SMITH
Un massaggio in che senso?

RACHEL
Se è di buon umore magari ci guadagno anche una cena.
Ci vediamo dopo?

WESSON
Deve ancora dirci...

RACHEL
Prendete questo, intanto, poi ne parliamo. [*Porge a Smith
un foglio*] È il telegramma che ho mandato oggi al mio
giornale. Wesson, qual è il posto più bello, la notte, qui
alle cascate, da stare lì e dimenticarsi tutto?

WESSON
Le Tre sorelle, sicuro.

SMITH
No, per favore niente locande.

WESSON
Sono tre isole, piccolissime, un po' più su delle cascate.

RACHEL
Ci porta lì? Dopo il tramonto. Dovrebbe fare bel tempo,
no, stasera?

SMITH
[*tira fuori un taccuino dalla tasca*] Allora vediamo, è pre-
sto detto...

WESSON
Bel tramonto, un po' d'arietta, bellissimo.

RACHEL
Okay, allora deciso, ce ne andiamo tutti là a finire la nostra conversazione. [*Fa per andarsene*] Date un'occhiata
al telegramma, poi vi spiego. Vi aspetto dalla signora
Higgins, sarà contenta di vedervi, parla sempre bene di
voi. [*Passando davanti all'angolo cucina*] Ma guarda, la

43

tazza del cesso in cucina, curioso. [*Si china a guardare meglio*] Per quanto, ora che guardo meglio, potrebbe benissimo essere un lavandino. Sì, probabilmente lo è. Fare due pulizie ogni tanto, no eh?

WESSON
Io...

RACHEL
A stasera, allora. [*Esce lasciandosi dietro la porta aperta.*]

Smith e Wesson rimangono in silenzio a lungo. Wesson si alza, va a chiudere la porta, poi torna a sedersi. Tira un gran sospiro.

WESSON
...finché il *Michigan* non si mise a sbandare, prese in pieno uno scoglio affiorante e si incastrò lì. Mancavano ancora una cinquantina di metri alla cascata. La gente, che aveva pagato il biglietto, iniziò a gridare che così non valeva. Ma poi, mentre il *Michigan* iniziava a colare a picco, eccoti gli animali che si mettono a saltare giù. Il primo fu lo struzzo. Si buttò in acqua e sparì subito sotto.

SMITH
Non c'era nessuno struzzo.

WESSON
Sì, lo struzzo, l'ho detto.

SMITH
Una capra, un maiale, due tacchini...

WESSON
...e uno struzzo, gliel'ho detto.

SMITH
Lei veramente ha detto una bufala e...

WESSON
Ma che bufala...

SMITH
...un orso.

WESSON
Uno struzzo e un orso.

SMITH
Lo struzzo è nuovo.

WESSON
È lei che è sordo.

SMITH
Come cazzo è andata a finire, è possibile sapere come cazzo è finita?

WESSON
Si salvò solo l'orso, saltò giù e a furia di nuotare si ritrovò a riva. Il giorno dopo lo esposero in una gabbia giù al paese, c'era la coda per vederlo.

SMITH
Interessante.

WESSON
Sveglia, la ragazza.

SMITH
Tipo davvero notevole.

WESSON
Dica la verità, lei trova che la casa abbia bisogno di una riordinata?

SMITH
Su questo non nutro alcun dubbio.

Lunga pausa.

WESSON
Va be'.

SMITH
Va be'.

Smith prende il foglio che gli ha lasciato Rachel e lo legge. Non fa una piega. Lo passa a Wesson. Che lo legge. Non fa una piega. Lo restituisce a Smith. Smith lo rimette in tasca.

SMITH
Va be'.
WESSON
Va be'.

QUARTO MOVIMENTO, *Notturno in tempo Andante.*

Esterno. Notturno. Luna. I tre sono seduti su una panchina. Wesson a destra, Smith a sinistra, Rachel in mezzo.

WESSON
Se nessuno l'ha mai fatto ci sarà una ragione.
RACHEL
Paura. Assenza di immaginazione.
SMITH
Buon senso. Si chiama *buon senso*. Le cascate non perdonano.
RACHEL
E chi l'ha detto?
SMITH
La gente ci si butta per ammazzarsi, questo non le suggerisce niente?
RACHEL
È proprio questo che ho pensato. Perché diavolo una bellezza del genere dev'essere un luogo di morte? Pensa uno che si butta da lì *per vivere*, mi sono detta. E subito mi son vista la notizia. IL GRANDE SALTO. Tra venti giorni, nel mattino del 21 giugno, solstizio d'estate, per la prima

volta un essere umano si getterà dalle cascate del Niagara per uscirne vivo. Irresistibile, no? Al giornale l'hanno trovata irresistibile.

WESSON

Peccato che sia una bufala.

RACHEL

Non è una bufala. È quello che accadrà. Lo faremo accadere noi. Abbiamo venti giorni, ce la possiamo fare. Lei Smith, io le ho viste le sue invenzioni, lei è un genio, trovi il modo per far saltare qualcuno giù da là senza finire a pezzi, una macchina, una corazza, un trucco, qualcosa. Sono sicura che ce la può fare. E lei, Wesson, cazzo, conosce queste cascate come le sue mutande, trovi il punto giusto da cui buttarsi, ci sarà in tutto questo casino la traiettoria giusta, il modo di gettarsi giù e non ammazzarsi, ci DEVE essere.

SMITH

Resta pur sempre il problemino di trovare qualcuno disposto a buttarsi giù in quel modo.

RACHEL

Be', quello...

SMITH

Ha in mente qualcuno?

Rachel si volta verso Smith, che istintivamente si schermisce. Rachel sorride.

RACHEL

Si rilassi. Quello che si butta ce l'abbiamo. Io.

SMITH

Lei?

RACHEL

Sì, io.

47

SMITH

Lei è pazza.

RACHEL

Non sono pazza. È che ho ventitré anni.

SMITH

Appunto. È decisamente troppo giovane per morire.

RACHEL

Non morirò. Ci penserete voi, non posso morire. E poi comunque...

WESSON

Comunque cosa?

RACHEL

Mi piace: o tutto o niente. Ma ci pensate se ce la facciamo?

WESSON

Cosa succede se ce la facciamo?

RACHEL

Siamo fuori, una volta per tutte, fuori dalla merda, la smetteremo di essere nessuno, io scriverò quel che mi pare e faranno la coda per pubblicarmi, voi starete su tutti i giornali d'America...

SMITH

Che questo poi sia un vantaggio...

RACHEL

Wesson, lei non stava aspettando di diventare un eroe?

WESSON

No, un eroe no, non l'ho mai detto. Vorrei diventare Jerry Wesson, per me, per tutti.

RACHEL

E allora: ci sarà lei a raccattarmi, quel giorno, laggiù, e il mio salto sarà il salto che lei ha immaginato, che lei solo può trovare in questo casino di acqua, lei lo trovi, e suo padre non sarà più nessuno.

SMITH

È pazza.

WESSON

No, non lo è.

SMITH

[*a Wesson*] Cosa cavolo dice?

WESSON

Volare giù dalle cascate e non morire... nessuno lo dice,
ma qui è il sogno di tutti.

SMITH

Ma da quando?

WESSON

Da sempre. Noi campiamo delle cascate, ma loro fanno
quel che vogliono. L'unico modo sarebbe quello di entrarci dentro e uscirne vivi. È da sempre che ci aspettia-
mo che qualcuno lo faccia.

SMITH

Sono cinquanta metri che finiscono nell'inferno, Wesson!

WESSON

Sì, ma una strada c'è. Me l'ha insegnata mio padre.

SMITH

Suo padre?

WESSON

Lui sapeva cosa c'è sotto l'acqua. Ha disegnato delle
mappe. Ora ce le ho io. E so che c'è una strada, per saltare giù e non morire.

SMITH

Sia razionale, nessuno può sapere cosa c'è là sotto.

WESSON

Lui lo sapeva, se le dicessi perché, lei non ci crederebbe.

SMITH

E in ogni caso, se suo padre avesse saputo come fare, fa-
natico com'era, l'avrebbe fatto lui.

WESSON

Non fece in tempo. E poi era solo, non aveva qualcuno
che lo aiutasse a inventare il modo. Gli mancava un ge-

nio, o qualcosa del genere. A proposito, ma sul serio lei è un inventore come dice la signorina?, no perché a vederla così... non è che proprio uno abbia l'impressione di quel gran genio...

SMITH

Guardi che, ad esempio, il mio sistema di previsione del tempo è decisamente geniale...

WESSON

Non le basterebbe una vita a metterlo in piedi...

SMITH

Dettagli...

WESSON

Non so, ma certo io i geni me li son sempre immaginati un tantino differenti...

SMITH

Ha presente le scatolette di carne?

WESSON

Le scatole di ferro con dentro la carne?

SMITH

Quelle.

WESSON

Le ha inventate lei?

SMITH

No. Ma mi dica questo: come le apre?

WESSON

Mio padre gli sparava.

SMITH

Sempre 'sto padre...

WESSON

Io le apro come tutti, un bel colpo di ascia.

SMITH

Comodo.

WESSON

Perché, c'è un altro modo?

SMITH
Ci sarebbe, l'ho inventato io. Apriscatole. Una cosetta da nulla ma geniale. Potrebbe usarla anche una vecchietta cieca.

WESSON
E com'è che lei non è milionario, allora?

SMITH
Una serie sconcertante di circostanze sfortunate...

WESSON
[*a Rachel*] Lei lo sapeva?

Guardano entrambi Rachel e si accorgono che sta dormendo.

WESSON
Cazzo, si è addormentata.

SMITH
Oh, ma è strana 'sta ragazza, eh?

WESSON
Ssssht, parli piano.

SMITH
[*piano*] Oh, ma è strana 'sta ragazza, eh?

WESSON
È strana, ma ha ragione.

SMITH
In che senso?

WESSON
Ha ragione, quando vuole saltare giù da lì, ha ragione.

SMITH
Ma senti questo.

WESSON
È un modo di saltare via da un sacco di cose. Ha ragione, e noi la aiuteremo.

SMITH
Noi?

WESSON
Noi.

SMITH
Parli per lei.

WESSON
No, parlo per tutt'e due. Dica la verità, le è già venuta qualche idea...

SMITH
Ma si immagini...

WESSON
Dica la verità.

SMITH
Ma niente, piccole cose...

WESSON
Lo vede?

SMITH
Ma così, tanto per...

WESSON
A cosa sta pensando?

SMITH
Non lo so. Però è un problema affascinante, lo ammetto. Bisogna infilare quella ragazza in qualcosa che galleggi, che non faccia entrare l'acqua e che contenga abbastanza aria da non farla morire soffocata. Sa cosa mi è tornato in mente?

WESSON
Cosa?

SMITH
Ero in California, e ricordo di aver letto che facevano delle gare, giù per le rapide di non so che fiume, e sa cosa usavano? Botti. Botti come quelle del vino. Si infilavano dentro delle botti.

WESSON
Chiusi dentro?

SMITH

Non so, non ricordo, ma c'erano le botti, questo me lo ricordo. È una buona idea. Bisognerebbe lavorarci un po' su, ma è una buona idea. Galleggiano. Sono resistenti. Non entra l'acqua... Come cazzo facevano a non soffocare? Quanto tempo, Wesson, di quanto tempo avrebbe bisogno prima di ripescarla?

WESSON

Non lo so, dipende da come si butta giù.

SMITH

In una botte, gliel'ho detto.

WESSON

Dev'essere una botte enorme.

SMITH

Una botte, Wesson, una botte in cui possa stare seduta.

WESSON

Chi ci dice che quando sbatte sull'acqua dopo il salto non vada in mille pezzi?

SMITH

Questo problema lo risolvo io, lei mi dica per quanto tempo la ragazza dovrebbe stare là dentro.

WESSON

Dopo il salto andrà sotto, questo è certo, e là sotto può succedere di tutto, può anche non uscirne mai, è una questione di vortici...

SMITH

Ma mettiamo che invece ritorni a galla.

WESSON

Se ritorna a galla è fatta, io dopo trenta secondi, quaranta, la ripesco.

SMITH

Meno di un minuto?

WESSON

Credo, ma dovrei fare delle prove.

SMITH
Le faccia!

WESSON
Ssssht!

SMITH
[*piano*] Le faccia.

WESSON
Adesso?

SMITH
Non adesso, cosa cavolo dice.

WESSON
Mi ha detto di fare delle prove...

SMITH
Sì, ma non le ho detto di farle adesso.

WESSON
Allora deve dire: Faccia delle prove *domani*.

SMITH
Prego?

WESSON
Deve essere più preciso quando parla.

SMITH
Io?

WESSON
Guardi che le parole sono piccole macchine molto precise...

SMITH
Sta' a vedere che adesso devo farmi insegnare come parlare da un selvaggio che...

Rachel fa un salto e si sveglia.

RACHEL
Dove sono?

WESSON
Tutto a posto.

RACHEL
Cavolo, stavo sognando.

SMITH
Mi scusi, è che ho avuto un padre molto severo.

RACHEL
Anche lei?

SMITH
Ma preferisco non parlarne.

RACHEL
Giusto. Com'è che siamo qui? Ah sì, il grande salto. Stavamo discutendo di quello, vero?

WESSON
Più o meno.

RACHEL
Non riesco a ricordarmi esattamente cosa abbiamo poi deciso.

WESSON
Infatti, anch'io mi stavo chiedendo...

SMITH
Abbiamo deciso che il 21 giugno, solstizio d'estate, il primo essere umano nella storia degli esseri umani salterà dalle cascate del Niagara non per farsi fuori, ma per vivere, una volta buona, e vivere davvero. Sarà una ragazzina di ventitré anni e contro ogni aspettativa non morirà in quel salto, e questo perché i signori Smith e Wesson, invece di progettare infallibili fucili a ripetizione, le troveranno il modo di sopravvivere alle cascate, sfidando la natura e le leggi della fisica, e vincendo, se dio lo vorrà e se avremo un culo bestiale.

Pausa.

RACHEL
Il tutto, in esclusiva per il "San Fernando Chronicle".
WESSON
Giusto.

Pausa.

RACHEL
Che luna, bellissima.

FINE ATTO PRIMO

ATTO SECONDO

QUINTO MOVIMENTO, *Molto Allegro.*

Tutto il Movimento va eseguito a velocità che definirei piuttosto forsennata. Non vuol dire, ovviamente, che gli attori debbano parlare veloci, ma che i diversi segmenti del testo vanno messi in fila con un ritmo che non si ferma mai, e che nello stare sulla scena gli attori devono essere in costante movimento, senza sparire o morire mai: penso ad esempio che potrebbero incessantemente cambiarsi di costume secondo una sequenza che li porta a ogni frammento col costume giusto. Ma naturalmente è solo un suggerimento. In ogni caso è una sorta di danza, di vera e propria sarabanda, da cui devono uscire piuttosto esausti, se così posso esprimermi.

1.
SMITH
   [*legge la prima pagina di alcuni giornali*] IL GRANDE SALTO. Mistero sull'uomo che il 21 giugno si butterà giù dalle cascate del Niagara. OLTRE LE CASCATE. È possibile per un essere umano sopravvivere a un salto di cinquanta metri e alle terribili rapide del Niagara River? REALTÀ O

TRUFFA? Voci contrastanti sull'incredibile spettacolo del 21 giugno. [*Pausetta*] Ecco, siamo nella merda.

2.

WESSON

Stanno vendendo dei biglietti!

RACHEL

Certo, ho organizzato tutto io, con la signora Higgins.

WESSON

Vuole dire che verrà della gente a...

RACHEL

Me lo auguro. Non penserà che io mi butti da lassù gratis.

WESSON

Veramente...

RACHEL

Guardi qui, metteremo dei posti a sedere in tre punti: alla partenza, dove saluterò la folla, sulla terrazza del Great Falls, e poi giù dove lei mi ripesca.

WESSON

Dove saluterà la folla?

RACHEL

Giusto due parole di circostanza.

WESSON

Lei in quel momento si cagherà addosso dalla paura, l'unica cosa che avrà da dire sarà: Portatemi via da qui!

RACHEL

Lei dice?

WESSON

Certo!

RACHEL

Potrebbe non avere torto. Magari le sedie lì non le mettiamo.

WESSON
    Sedie!
RACHEL
    Posti in piedi, se proprio qualcuno ci tiene...

3.
SMITH
    Riepilogando. Disponiamo di tre strade. Prima: una palla
    di caucciù, perfettamente sferica, cava all'interno. La
    spariamo a grande velocità in modo che salti oltre i gor-
    ghi e cada direttamente nelle rapide, dove poi Wesson la
    va a pescare. Seconda: una sorta di cassaforte. La precipi-
    tiamo giù dalle cascate, quando tocca il fondo Rachel
    esce attaccata a un salvagente che la riporta velocemente
    a galla e poi la trasporta giù per le rapide. Wesson la rac-
    coglie. Terza: una botte piena di aria compressa, perfetta-
    mente imbottita e a tenuta stagna. Rotola giù dalle casca-
    te, finisce sott'acqua, torna su, e galleggia giù dalle rapide
    fino a quando Wesson non la prende al volo. Votazioni!
RACHEL
    Io nella cassaforte non ci entro.
SMITH
    Wesson?
WESSON
    Come la spariamo, la palla di caucciù?
SMITH
    Con un cannone da circo.
WESSON
    Botte!
SMITH
    Conteggio dei voti: palla di gomma zero, cassaforte zero,
    botte tre. Non fanno vino, vero, da queste parti?

WESSON
Birra.

SMITH
Una botte di birra... Esiste?

WESSON
Io una l'ho vista, sì.

SMITH
La seduta è sciolta. Signorina Green, lei scenderà dalle cascate del Niagara seduta in una botte di birra.

RACHEL
Nuova, spero.

SMITH
Vediamo cosa si può fare.

4.

RACHEL
Li teniamo a friggere per un po', poi quando siamo a trenta giorni dal salto diamo la notizia... do la notizia, un articolo sul "Chronicle". Daranno di matto, UNA DONNA DI VENTITRÉ ANNI, no, una ragazza, UNA RAGAZZA DI VENTITRÉ ANNI, non ci crederanno, a quel punto tutti vorranno vedermi, li teniamo ancora un po' sulla corda e venti giorni... quindici giorni... no, venti giorni prima del salto, conferenza stampa, verranno da tutte le parti dell'Unione, la facciamo nel salone del Great Falls, devo trovare il vestito, niente di sgargiante, una cosa modesta, e devo portarmi dietro lei, Wesson, un uomo ci vuole, si dovrà vestire bene, autorevole... Ha qualcosa di scuro?

WESSON
Io?

RACHEL
Sarà splendido nel suo vestito scuro.

WESSON

Non credo che...

RACHEL

Wesson, lo faccia per me. Quel giorno, mi faccia il regalo di essere bellissimo nel suo vestito scuro.

WESSON

Che non ho.

RACHEL

Che avrà.

WESSON

D'accordo, che avrò.

RACHEL

No, mi deve dire: D'accordo, sarò bellissimo.

WESSON

Perché?

RACHEL

Me lo dica.

WESSON

D'accordo, sarò...

RACHEL

Bellissimo.

WESSON

Più bello che posso.

RACHEL

Bellissimo.

WESSON

Bellissimo.

RACHEL

È così. Siamo bellissimi.

5.

SMITH

Apertura dall'interno, dovesse rimanere intrappolata. Ma anche apertura dall'esterno, nel caso perda conoscenza, o non sia in grado di muoversi, o... o muoia, naturalmente. Ma non deve morire. Non farla morire là dentro, cazzo, niente acqua che entra, niente colpi, e aria a sufficienza per resistere, aria, aria, aria, otto metri cubi di aria pressata, dalle quell'aria e lei non muore, dalle quell'aria porco di un demonio, trova il sistema o giuro che... Wesson, ho bisogno di Wesson.

6.

RACHEL

[*legge degli appunti*] Non mi è difficile svelare ai lettori di questo giornale chi sarà l'essere umano che fra venti giorni si butterà dalle grandi cascate per dimostrare a sé e al mondo che bla bla bla. Non mi è difficile perché quella persona è ora davanti a me, la posso guardare, la conosco da ventitré anni e so che non mi sta mentendo. Quella persona sono io, Rachel Green, sono io che... Ma che porcate sto scrivendo?

7.

WESSON

La cosa decisiva è farla uscire dalla cresta della cascata nel punto giusto.

SMITH

Abbiamo idea di dov'è questo punto?

WESSON

Qui [*indica un punto su una mappa*]. E per arrivare qui dobbiamo mettere in acqua la botte esattamente qui. Vede, evita lo scoglio, poi scarroccia un po' sulla destra, è inevitabile, e da qua in poi dovrebbe andare dritta come una palla da biliardo, fin sull'orlo del baratro.

SMITH

Come lo sa?

WESSON

Sono sei giorni che provo. Ho buttato nel fiume di tutto.
Non posso sbagliarmi.

SMITH

Di tutto tipo?

WESSON

Avrà notato che a casa non c'è più la credenza.

SMITH

No! L'ha buttata.

WESSON

Mi serviva qualcosa di pesante.

SMITH

Giù dalle cascate!

WESSON

L'ho riempita di sacchi di terra e via, e adesso stia bene
attento a cosa è successo...

SMITH

Cavolo, mi doveva chiamare!

WESSON

La credenza arriva sull'orlo, gira giù, si stacca dall'acqua,
poco, un po', appena appena, ma vola, e vola dritta giù,
qui in questo punto, in questo preciso punto impatta
sull'acqua... è difficile perché lì non si vede già più niente,
c'è tutto il mist che fa come una nebbia, un sipario... mi
segue?

SMITH

Vada avanti.

WESSON

Tocca l'acqua e sprofonda: e lì inizia il casino.

SMITH

Nel senso?

WESSON
Nel senso che quanto tempo starà là sotto è molto difficile dirlo. La credenza, per dire, c'è stata un minuto e dieci
secondi.

SMITH
E poi?

WESSON
Poi, pop!, come un tappo, salta fuori dall'acqua, ricade,
e inizia a correre.

SMITH
Vuole dirmi che quella ragazza dovrà restarsene per un
minuto e dieci secon...

RACHEL
[entrando] Sono degli stronzi. Leggete qui [mostra dei
giornali]: io sarei un'acrobata, una contorsionista o qualcosa del genere.

SMITH
Embè?

RACHEL
Io sono una giornalista! E sarò una scrittrice!

WESSON
[a Smith] Senta, mi faccia un favore, me la porta a fare
qualcosa, a controllare la vendita dei biglietti, a fare qualche foto, qualcosa...

RACHEL
E mio padre? Mi ha scritto mio padre. Sentite qua. [Tira
fuori una lettera.]

SMITH
[portandola via] Faccia vedere.

RACHEL
Qui, verso il fondo, ecco lì, legga.

SMITH
"...questa notizia che sprofonda la nostra famiglia nella
vergogna e nella costernazione. Mai avrei creduto..."

RACHEL

Ma le sembra?

SMITH

A proposito di sprofondare...

RACHEL

Dovrebbero essere *fieri* di me, altro che sprofondare nella...

SMITH

Ecco, appunto, non so se lei è pienamente consapevole della dinamica del salto che va a affrontare, io ritengo che un breve ripasso...

RACHEL

Dov'è il problema?, mi botto dentro quella butte, cioè, mi butto dentro quella...

SMITH

Lo vede?, è confusa!

8.

WESSON

Posso chiedere chi sta finanziando tutto questo?

RACHEL

Credevo che lo sapesse: la signora Higgins.

WESSON

La signora Higgins? E chi glielo fa fare?

RACHEL

La metà dell'incasso è suo. E poi è tutta pubblicità per l'albergo.

WESSON

Come ha fatto a convincerla?

RACHEL

Durante i massaggi si parla molto, sa...

WESSON

Ah, i massaggi.

RACHEL

Non lo dica con quel tono, sono massaggi normalissimi.

WESSON

Le voglio credere.

RACHEL

Come sarebbe a dire LE VOGLIO CREDERE?

9.

SMITH

Chiedono come si vestirà la signorina.

RACHEL

Ma che razza di domanda, che ne so, non è importante, sia evasivo...

SMITH

D'accordo.

RACHEL

NO! Un attimo. Com'è la domanda?

SMITH

Come si vestirà.

RACHEL

È una buona domanda. Gli faccia capire che mi vestirò poco.

SMITH

Prego?

RACHEL

Si inventi qualcosa, ma sia piuttosto preciso, "la signorina si vestirà con una leggerissima tunica trasparente", una cosa così, e faccia raddoppiare il prezzo dei biglietti, giù dove mi ripescheranno...

SMITH

[*allontanandosi*] "Per garantire alla signorina Green la necessaria libertà di movimenti, le è stata consigliata una

mise ridotta al minimo, probabilmente niente più che una camiciola..."
RACHEL
Perfetto!

10.
Conferenza stampa. I giornalisti, ovviamente, non ci sono ma gli attori stanno davanti al pubblico come se il pubblico fosse la stampa. Wesson è vestito insolitamente elegante. Sta in piedi un passo dietro a Rachel, che, molto elegante, sta seduta su una sedia. C'è una certa solennità.

WESSON
La signorina Green risponderà a tutte le domande, tranne a quelle sulla sua vita privata. Vi pregherei di essere...
RACHEL
Ma se volete sapere cosa ne pensa la mia famiglia di tutto questo, ecco la risposta: sprofondano nella vergogna, scrivetelo pure. [*Ascolta la domanda di un giornalista*] Green, Alphonse Green, è nel ramo della finanza, a Madison, Indiana, andate pure a intervistarlo, salutatemelo.
WESSON
[*rivolto a un altro giornalista*] Prego.

Qui come in seguito le domande non si sentono, ma coincidono con brevissimi silenzi in cui Wesson e Rachel stanno ad ascoltare.

RACHEL
La botte è stata progettata da un uomo di genio, e alla fine di questa avventura sarà esposta al Great Falls, dove con la modica spesa di cinque cent la gente potrà vederla e, volendo, anche entrarci. [*Domanda*] No, non sono autorizzata a dire il nome di quell'uomo.

WESSON

Non ha piacere che si sappia il suo nome, tutto qui.

RACHEL

D'altronde è ricercato in quattro stati dell'Unione, quindi potete ben capire... Cosa?

WESSON

Un attimo, un attimo, la signorina tende a romanzare un po', si tratta solamente di un professionista molto riservato, vorrei dire timido, se non fosse che...

11.

Grande botte. Smith è chiuso dentro. Wesson invece sta pompando da un marchingegno che sarebbe simile a una pompa da bicicletta se non fosse che non esistevano ancora pompe da bicicletta: ovviamente l'ha inventato Smith. Dal marchingegno parte un tubo che si inserisce in un foro applicato nel fianco della botte.

SMITH

[*da dentro la botte*] Acceleri, acceleri!, e mantenga il flusso costante...

WESSON

26.... 27... È duro da bestia!

SMITH

Non si interrompa, le ho detto che il flusso dev'essere regolare!

WESSON

28... È sicuro, vero, che non scoppia là dentro?

SMITH

Faccia quello che le ho detto e non discuta.

WESSON

Non sto discutendo... 29... 30... Comunque è duro da bestia.

SMITH

Le ho detto che è un prototipo.

WESSON

Sì, ma non funziona.

SMITH

Se lei si limitasse a pompare funzionerebbe benissimo.

WESSON

Funzionerebbe benissimo se lei l'avesse costruito come si deve.

SMITH

L'ho costruito in un pomeriggio.

WESSON

Be', se ci passava qualche ora in più magari io non stavo qui a spezzarmi le reni...

SMITH

L'ho costruito come cazzo mi pare, mica potevo prevedere che a usarlo sarebbe stato un morto di seghe che è già tanto se riesce a tirarsi su i pantaloni, dopo.

Pausa.

Si apre il coperchio della botte e si affaccia Smith.

SMITH

[*molto calmo*] Esperimento fallito, ricominciare da capo.

WESSON

Ma...

SMITH

Se mi incazzo consumo troppa aria, non è corretto.

WESSON

Giusto.

SMITH

Mi diceva che il meccanismo è un tantino farraginoso?

12.
Conferenza stampa.

RACHEL
Perché è un sogno. È un sogno che hanno fatto in tanti, e io ho ventitré anni e lo farò per tutti loro. E per diventare famosa. E per zittire un sacco di gente che parla, parla, parla... A me sarebbe anche bastato stare da quella parte, a fare le domande, era già un sogno quello, ma evidentemente non si poteva fare, non le mollate le vostre sedie, vero?, non le volete mollare a una ragazzina di ventitré anni, e allora eccomi qui, da questa parte. Potevo essere una vostra collega, adesso sono il vostro lavoro. [*Domanda*] E perché dovrei? Io non morirò. [*Domanda*] Gliel'ho detto, non morirò. [*Domanda*] Piuttosto *prima*, ecco, prima sì, morivo ogni giorno un po', quello era morire. Ma in un modo che, francamente, non fa per me.

Domanda a Wesson.

WESSON
Io? Mah, io... Sì credo che andrà tutto bene, perché?

RACHEL
Il signor Wesson conosce il fiume più di quanto lei conosca il contenuto delle sue mutande. Sa dove aspettarmi, e là mi pescherà. È il Pescatore lui, e non può sbagliare.

13.

WESSON
Non posso sbagliare, ma le dico che quando quella va sotto, lì il fiume fa quello che vuole. Magari la sputa fuori subito, magari se la tiene là sotto per un bel po'. Quello che so è che la spediremo nel punto più profondo, nes-

sun rischio che vada a sbattere sul fondo. Guardi qui. Vede, dieci metri più in là e si sfascia contro quella faglia... qualche metro più avanti e uno, due, tre scogli nascosti sotto al pelo dell'acqua la fanno a pezzi, ma se noi riusciamo a centrare proprio questo punto...

SMITH

Da dove le arrivano queste mappe?

WESSON

È il fiume, com'è fatto sotto.

SMITH

L'ho capito, mi sto chiedendo chi le ha disegnate.

WESSON

Mio padre.

SMITH

E come ha fatto, si è buttato?, è andato a vedere?

WESSON

Non sto a raccontarglielo, tanto non mi crederebbe, nessuno ci crede.

SMITH

[guardando le mappe] S'è disegnato tutto, il fiume, le cascate, e poi le rapide. Wesson, con tutto l'affetto, ma come facciamo a essere sicuri che non si sia inventato tutto?

WESSON

Ha disegnato solo quel che ha visto.

SMITH

Visto?

WESSON

Ha disegnato solo quello che ha toccato.

SMITH

Toccato?

WESSON

Solo quello su cui ha camminato.

SMITH

Tutto annullato!, non se ne fa più niente!

14.
Conferenza stampa.

RACHEL
   Qualsiasi cosa abbia detto il capo della polizia, noi sappiamo che non c'è nessuna legge che impedisca a un cittadino americano di saltare giù dalle cascate. La signora Higgins potrà essere più precisa al riguardo.
WESSON
   La signora Higgins predilige gli avvoc... conosce i migliori avvocati e ha avuto assicurazione che...
RACHEL
   Non rischiamo niente, il 21 giugno tutto andrà come previsto, non ci sarà nessun intervento della polizia.

Domanda.

RACHEL
   No, nessun prete, no.

Domanda.

RACHEL
   [*ride*] Ma chi gliel'ha detto, scusi?

Domanda.

RACHEL
   No, non credo di avere mai detto la frase: Sono nelle mani di dio, lui mi prenderà al volo. Non lo vedo occuparsi di cose del genere. Immagino che sia molto occupato, no?

15.

WESSON

Con tutto quel che c'è da fare lei se ne sta lì a correggere le sue tabelle statistiche!

SMITH

[*ha il suo taccuino, aperto, in mano*] E allora?

WESSON

Sono una balla, lei non è un meteorologo, la smetta con questa commedia!

SMITH

Vorrei essere molto chiaro, Mr Wesson: il fatto che finire queste tabelle rappresenti in effetti un traguardo piuttosto ipotetico, redigerle, mi stia bene a sentire, è ciò che io continuerò a fare da qui a quando schiatterò. Vuole sapere perché?

WESSON

A questo punto...

SMITH

Perché è bello, perché adoro disseppellire i giorni, a uno a uno, dalla memoria della gente. È come un solitario, è come girare a una a una delle carte sul tavolo, mi rilassa, mi intrattiene, è piacevole.

WESSON

È inutile.

SMITH

Non completamente.

WESSON

Ah sì?

SMITH

Lei ha mai paura?

WESSON

Cosa c'entra adesso?

SMITH

Io, quando ho paura, mi metto a leggere le mie tabelle.

WESSON
Si mette a leggere quella roba?

SMITH
[*sognante*] Lei non ha idea...

16.
SMITH
Sette giorni, cazzo! Abbiamo sette giorni e lei non vuole starmi a sentire.

RACHEL
Eccomi.

SMITH
Wesson, dove cavolo è finito? Su, anche lei, mi apra la botte. Dunque, signorina, stia bene attenta.

RACHEL
Cos'è quello?

SMITH
Un casco da aviatore. Con un paio di modifiche geniali, naturalmente.

RACHEL
E serve?

SMITH
Lei se lo infila in testa e così le evitiamo eventuali colpi e cose del genere.

RACHEL
Cioè, quelli pagano per vedermi uscire da quella botte nella mia camiciola leggera e decisamente sexy e lei pensa che io mi faccia trovare con quella vescica in testa?

SMITH
Preferisce presentarsi con la testa spaccata in due?

RACHEL
Al limite sì!

WESSON

Si metta quel casco o quando la botte passa io mi giro dall'altra parte e la ritrovano nel Connecticut.

RACHEL

Uff.

SMITH

Allora dia un'occhiata. [*Si sporgono a vedere dentro alla botte*] Starà seduta, lo vede il sedile?

RACHEL

Carino.

SMITH

Gli incastri ai lati sono per le gambe, sempre per ridurre al minimo gli impatti. Con le mani si tiene forte a quelle maniglie. Non ci sono corde o cinghie, niente, all'occorrenza deve poter uscire da questa botte in un attimo. Mi segue?

RACHEL

Splendido.

SMITH

Il coperchio si apre con queste due leve a scatto, toglie la sicura e imprime una rotazione di 45 gradi. Provi. Perfetto, ma si ricordi che se non c'è qualche emergenza lei deve rimanere immobile là dentro, al momento buono la tira fuori Wesson, chiaro?

RACHEL

E quello cos'è?

SMITH

Un carillon.

RACHEL

Prego?

SMITH

Le ho applicato alla parete della botte un carillon, quando parte lei tira la cordicella, lui inizia a suonare. La carica dura tre minuti e dodici secondi: è il tempo che lei ha prima che finisca l'aria. Mi spiego?

RACHEL

Non tanto.

SMITH

Finché c'è la musica, nulla da temere. Finisce la musica: prenda un'ultima sorsata di aria, apra il coperchio e tagli la corda.

WESSON

Non ce ne sarà bisogno, la pescheremo prima.

SMITH

Ma nel caso...

RACHEL

Che musica è?

Wesson infila una mano nella botte e tira la cordicella. Parte un tango.

RACHEL

Dove l'ha trovato?

SMITH

L'ho fatto io. Da bambino avevo quell'hobby.

RACHEL

Da bambini si gioca a chiapparella, non si costruiscono carillon.

SMITH

Sì, lo so, ma allora non lo sapevo.

RACHEL

Così da grande ha dovuto recuperare.

SMITH

Prego?

RACHEL

No, dico, a giocare a chiapparella ci ha pensato poi dopo, con la polizia.

SMITH

Ah, quello. Be', sì, è un'interpretazione dei fatti piuttosto plausibile.

RACHEL

Lei è adorabile, Smith, gliel'avevo già detto?

SMITH

Non in questi termini così diretti.

RACHEL

Lei è un uomo adorabile.

SMITH

Talvolta.

RACHEL

Non c'è alcuna possibilità che in mezzo al frastuono della cascata io senta quel carillon, lo sa, vero?

SMITH

Lo so perfettamente. Tuttavia...

RACHEL

Non c'è bisogno che me lo spieghi.

SMITH

Ecco.

RACHEL

Lo so perché l'ha messo lo stesso.

SMITH

Infatti.

Pausa.

SMITH

È un tango.

17.

WESSON

Tre giorni!

SMITH

Prove generali!

RACHEL

È la quinta volta!

SMITH

Allora, primo!

RACHEL

Mi metto la mia camiciola anche piuttosto trasparente...

SMITH

No! Primo, io, lei, due testimoni e la botte ci portiamo sulla barca che il signor Wesson avrà provveduto ad ormeggiare sulla più piccola delle Tre sorelle. Secondo!

WESSON

La signorina se la dà a gambe levate.

SMITH

E no, allora, se vogliamo giocare...

WESSON

Va bene, va bene...

SMITH

Secondo!

WESSON

La signorina si infila nella botte e si chiude dentro.

SMITH

Terzo! Io controllo la chiusura. Quarto, porto la barca nell'esatto punto indicatomi dal signor Wesson, cioè qui [*indica su una mappa*]. Quinto, metto in acqua la botte e dopo un istante di solenne esitazione la lascio partire.

RACHEL

Partiti.

WESSON

Scusi, ma com'è che fa a metterla in acqua, di preciso?

SMITH

Tutto calcolato. Due pulegge, ventun metri di corda, due binari lignei e un po' di olio di gomito.

WESSON
E la barca, intanto, chi la tiene ferma?

SMITH
Doppia ancora, poppa e prua, peso complessivo trecentottanta chili.

WESSON
E chi gliela tira su, dopo?

SMITH
Argano a doppio scappamento, in dodici secondi sono di nuovo su e io torno a riva.

WESSON
Vestito come?

SMITH
Sobriamente.

WESSON
Presidenti degli Stati Uniti?

SMITH
Washington, Adams, Jefferson, Mad... Ma che cazzo!...

WESSON
[*a Rachel*] È bestiale, sa tutto.

RACHEL
Da non crederci...

SMITH
Prove generali annullate!

18.
WESSON
Laggiù, in quella specie di laghetto, lo vede?

RACHEL
Sì.

WESSON
La botte arriverà da sola, è un giro di correnti che conosco a memoria, e io sarò là ad aspettarla.

RACHEL
Con tutta la gente.
WESSON
La gente sta più indietro, sotto gli alberi.
RACHEL
Io non faccio niente e aspetto che apra lei.
WESSON
Sì.
RACHEL
Se sono svenuta?
WESSON
Ci sarà un dottore.
RACHEL
Magari potrebbe essere utile anche un parrucchiere.
WESSON
Se vuole un parrucchiere, le porto il parrucchiere.
RACHEL
Scherzavo.
WESSON
Ah.
RACHEL
Scherzavo perché inizio ad avere paura.
WESSON
Ah, ecco.
RACHEL
Ma non lo dica a Smith.
WESSON
Tanto lo sa.
RACHEL
Lei dice?
WESSON
Quello sa tutto.
RACHEL
E lei?

WESSON

Io non so un cazzo, a parte il fiume.

19.

SMITH

Wesson, sia serio, venga qui e mi guardi negli occhi.
Cos'è questa storia di suo padre che cammina sul letto
del fiume?

WESSON

Eravamo nel bosco, a raccogliere la legna, e di colpo, silenzio. Ma veramente silenzio. Non c'era più il rumore
delle cascate. Mi crede?

SMITH

Vada avanti.

WESSON

Corremmo al fiume e il fiume non c'era più. Giuro. Dalle
cascate colava qualche rigagnolo. Era sparito tutto. La
gente si mise a gridare alla fine del mondo. Quasi tutti
corsero in chiesa. Ma mio padre mi disse: Veloce, segui-
mi. Corremmo alla baracca, prendemmo carta e matite, e
tornammo al fiume. Per tre giorni, mio padre si fece a
piedi tutta la zona, disegnava tutto, era un'occasione unica, scoprire tutti i segreti che l'acqua nascondeva sotto al
culo. Sono le mappe che ha visto.

SMITH

Che anno era?

WESSON

1867. Gennaio.

SMITH

L'inverno più freddo del secolo.

WESSON

Quello.

SMITH

Cazzo, Wesson, quelle mappe sono giuste.

WESSON

Ma va'?

SMITH

Mi creda, sono giuste. Inverno del 1867, a fine gennaio degli insoliti venti da ovest, fortissimi, risospingono enormi blocchi di ghiaccio contro corrente, sui fiumi del Nord. Li spingono su fino ad ammucchiarli dove di solito i grandi laghi scaricavano nei fiumi. Si forma come un grande tappo di ghiaccio. Risultato: i laghi non scaricano più e i fiumi, magicamente, spariscono tutto d'un colpo. Durò tre giorni.

WESSON

Che ne sa lei?

SMITH

Faccio il meteorologo.

WESSON

Ah.

SMITH

Credevo fossero leggende. Non lo erano.

WESSON

Gliel'ho detto.

SMITH

Cavolo, Wesson, lei ha camminato sul fondo delle cascate del Niagara!

WESSON

Be', se è per quello, con mio padre andammo a pisciare proprio dall'orlo, su, nel precipizio.

SMITH

E com'era?

WESSON

Oh, niente di speciale, francamente ci divertivamo di più a pisciare nelle zuppiere d'argento del Great Falls.

SMITH

Certo.

20.

*A ritmo sempre più serrato, in un crescendo continuo fino alla
fine.*

RACHEL

Quanto manca?

SMITH

Ventidue ore e sedici minuti.

WESSON

Controllato la barca, tutto a posto.

SMITH

Come sarebbe a dire se la botte ha un nome, non so, mica
è una barca, adesso si danno i nomi alle botti?

RACHEL

Freedom!

WESSON

Ma non dica cagate.

RACHEL

Alle dieci del mattino, vero?, la partenza è alle dieci, vero?, chi ha deciso?, qualcuno ha deciso?

SMITH

Lascio la barca, salgo sul calesse e volo giù dove lei la
pesca, oppure mi sdraio per terra e aspetto che qualcuno
mi venga a dire com'è finita.

WESSON

Ecco, ma la barca me la ormeggi bene, per favore.

SMITH

Le sembro il tipo da ormeggiarla male?

WESSON

Non si sa mai, nella concitazione del momento...

SMITH
Le sembro il tipo da concitarmi nel momento?!?!

RACHEL
Quanto manca?

SMITH
Sedici ore e undici minuti

RACHEL
Aaaaaggghhh!

WESSON
Ma la signora Higgins, cosa dice la signora Higgins?

SMITH
Ho detto che non voglio curiosi intorno alla botte, è così difficile da capire? Se dico che non voglio...

WESSON
Io? Lavarmi? Ma non ci penso nemmeno! Cioè, dovrei lavarmi che tanto poi mi butto sicuro nell'acqua dove...

RACHEL
Primo, saliamo sulla barca, secondo, entro nella botte, terzo, chiusura, quarto, la botte va, sesto... SESTO?

SMITH
Niente fotografi!

RACHEL
Come niente fotografi? Se non c'è una foto, nessuno ci crederà.

WESSON
Dodici ore!

SMITH
Undici.

WESSON
UNDICI ORE!

RACHEL
Wesson, il sole se ne va!

WESSON
Tutto sotto controllo, signorina.

SMITH

Si chiama tramonto.

RACHEL

Lo soooo, ma...

WESSON

La botte, cazzo, non possiamo lasciarla fuori, e se stanotte ce la rubano?

SMITH

Io le ho detto di lasciarla fuori?

WESSON

Lei mi ha detto di portarla dentro?

RACHEL

La lettera di mio padre! Chi ha visto la lettera di mio padre?

WESSON

Mi ha detto di buttarla.

RACHEL

Lei ha buttato la lettera di mio padre!

SMITH

Chi ha nascosto il casco da aviatore?

RACHEL

Chi è quel sant'uomo che ha nascosto il casco da aviatore?

SMITH

Conto fino a tre e poi lo voglio veder ricomparire, esattamente qui!, uno...

WESSON

Ballano, al Great Falls.

RACHEL

Quante luci.

WESSON

Ballano per noi.

SMITH

Sulle note di valzer imperdonabili.

WESSON
    Per tutta la notte balleranno.
RACHEL
    Al ritmo di questa follia.

Si passa senza interruzione al Movimento seguente.

SESTO MOVIMENTO, *Notturno in tempo Largo.*

I tre si lasciano cadere per terra, esausti. Le luci si abbassano. Parte una musica che si muove molto lentamente, con dolcezza, e che durerà fino alla fine del Movimento.

I tre se ne stanno più o meno immobili, ciascuno per conto suo. Ogni tanto cambiano posizione. Non sembra dover accadere nulla. Si riposano. Il pubblico si riposa. C'è la musica. Forse i tre cercano di prendere sonno, senza molto riuscirci. Wesson si tira su, dà un'occhiata verso il punto in cui sta Smith. Poi si rimette giù. Rachel si rigira. Wesson si tira su un'altra volta, di nuovo si gira verso Smith. Come se lo sentisse, Smith tira su la testa. Si scambiano un cenno. Tornano giù tutt'e due. Altro tempo. Poi Smith si mette seduto. Armeggia un po', tira fuori il suo quaderno delle tabelle. Se lo rigira un po' in mano. Si volta verso Wesson. Wesson si tira su e lo guarda. Non fa alcun cenno. Smith apre il quaderno. Poi inizia a leggere, piano, quasi tra sé e sé, ma in modo distinto e udibile. Durante la lettura Wesson e Rachel continuano a stare sdraiati, muovendosi di tanto in tanto, come bambini che non riescono ad addormentarsi. [Ovviamente tutto ciò non va preso necessariamente alla lettera: dà l'idea di un effetto che si vuole ottenere: poi ogni sistema è buono.]

21 giugno 1862, lieto successo della Fiera dell'asparago bianco, i giornali riportano clima rassicurante.

21 giugno 1863, sotto un cielo terso Mr Corcoran ricorda distintamente suo padre barcollare nel campo davanti a casa. Era mezzogiorno. L'uomo morì il giorno dopo.

21 giugno 1864, Mrs Brady arriva alle cascate a mezzogiorno e non può dimenticare le strade piene di fango. Ne deduco un temporale nel primo mattino. Mrs Brady arriva ma non solleva lo sguardo sulle cascate e anzi, si gira per non vederle. Mi spiega che aveva atteso così tanto quel momento che il timore di una delusione insopportabile si impadronì di lei.

21 giugno 1865, boh.

21 giugno 1866, leggera pioggia al mattino, schiarita all'ora di pranzo, poi cala un'umidità opprimente che cova per ore un temporale senza riuscire a sfogarsi. Notte appiccicaticcia. [Questa la devo a Charles Dickens, in visita alle cascate. Era un tipo preciso. Disse che la cascate dimostravano evidentemente l'esistenza di dio.]

21 giugno 1867, alle 4 e 40 del pomeriggio un fulmine colpisce il fienile di Mr Pellatt, che rimane significativamente danneggiato. La sera altro forte piovasco, subito dopo il tramonto, ma lì erano già tutti sbronzi, testimonianze poco affidabili.

21 giugno 1868, come potrei dimenticare il ritorno di mio padre, su un calesse elegantissimo, al fianco di una nuova moglie che per giunta era bionda? Sotto il sole, sì, sotto il sole.

21 giugno 1869, calura. Inizio a pensare che se il 21 giugno casca di martedì, pioggia assicurata, in tutti gli altri casi, calura.

21 giugno 1870, per osservazione unanime, il pastore Oliver Mowat dà di matto e annuncia la fine del mondo

a causa di una tempesta di vento che, tra l'altro, si porta via tredici capi di bestiame e il vecchio Malcolm, che era salito sul tetto di casa sua per vedere.

21 giugno 1871, Miss Moore ricorda distintamente che mentre Oliver Saltz la chiedeva in sposa lei pensava che si era vestita troppo poco per quella serata umida. D'altronde non avrebbe poi sposato Oliver Saltz.

21 giugno 1872, se le dico che contavamo le stelle, le dico che contavamo le stelle. Avevo compiuto diciotto anni, quel giorno, le sembra che posso sbagliarmi?

21 giugno 1873, show di Cardarelli, il famoso acrobata, cammina su una fune tesa sulle cascate e in effetti non cade. Due foto testimoniano una certa nuvolosità all'orizzonte, e lieve brezza.

21 giugno 1874, visita del senatore Scott, funestata da un forte vento che ha scompigliato le volonterose scenografie apprestate dalla cittadinanza. Al cospetto delle cascate il senatore Scott ha pronunciato la seguente frase: Davvero molto belle.

21 giugno 1875, boh.

21 giugno 1876, Peter Jenkins uccide con un coltello da caccia il suo vicino di casa Bob Morris, e poi si butta nelle cascate. Erano amici inseparabili, e quel giorno erano andati a pescare insieme per godersi il bel tempo. Nessuno sa cosa possa essere successo.

21 giugno 1877, sole torrido, e la sera temporali lontani, a detta dello sceriffo Carter, che quel giorno lasciava il servizio, nel sollievo generale. Da due anni era diventato pressoché cieco.

Da questo punto Wesson inizia a "leggere" insieme a Smith. Non ha il testo, va illogicamente a memoria, come se da sempre quelle parole fossero con lui. Le due voci procedono insieme. Ogni tanto Wesson salta qualche battuta e poi torna a

raddoppiare la voce di Smith. Nel giro di tre 21 giugno pren-
de lui il filo della lettura. Smith inizia a perdere qualche battu-
ta. Rispunta un paio di volte a raddoppiare Wesson, l'ultima
volta è nel 21 giugno 1881. Poi si tira addosso una coperta che
era lì vicino, se la tira fin sopra la testa, si gira su un fianco e
apparentemente si addormenta. Non si muoverà più. Wesson
continua da solo, ma alla stessa andatura di Smith. È come un
mantra, che galleggia sulla musica. È un mantra che Smith gli
ha passato.

21 giugno 1878, smotta la miniera di Bellington, sotto un
nubifragio durato tutta la notte. Nessuna vittima, molto
spavento.

21 giugno 1879, storica eclisse di luna. Nessuno la vede
causa cielo coperto. Per tutto il giorno non si era vista
una nuvola.

21 giugno 1880, primo concerto del Coro tenacemente
voluto dal Maestro Cunningham. Otto svenuti dal caldo.
Per ragioni che il giornale locale non sa spiegare, il concerto era stato fissato a mezzogiorno.

21 giugno 1881, Ho dato quattordici figli al Signore, mi
dice Miss Ascom, novantaquattro anni, e va bene così,
però pioveva sabbia, il giorno che nacque l'ultimo, e
adesso le dico una cosa: è quello che poi è diventato un
assassino.

21 giugno 1882, apre la prima sala da gioco di Niagara
City, per iniziativa di tal Miss Bellington, e i giornali riportano ogni dettaglio della faccenda ma non il tempo.
Tuttavia ero sicuro che uno l'avrei trovato, vivo, di quelli
che quel giorno inaugurarono la cosa. L'ho trovato. Non
ricorda né pioggia, né caldo, né niente. Ricorda che al
suo tavolo usciva sempre il 12.

21 giugno 1883, arcobaleno al tramonto dopo un forte
temporale. Posso incominciare ad azzardare che da queste parti, il 21 giugno, fa spesso un tempo di merda.

21 giugno 1884, due sposini in luna di miele vengono travolti dalle onde e muoiono giù dalle cascate. Si erano andati a rinfrescare nell'acqua del fiume. Forte calura. Lei si chiamava Dory.

21 giugno 1885, *Primo giorno d'estate / splende il sole sul mondo / ma sul mio cuore piove.* Primi tre versi di una discutibile, ma utile, poesia di Mrs Greta Armenian, poetessa locale.

21 giugno 1886, storico nubifragio del 1886.

21 giugno 1887, Mrs Derby, ottantotto anni, mi regala il suo diario da cui posso dedurre il tempo nel giorno del suo matrimonio: pioggia battente. Ne deduco anche il tempo di sette date diverse. Noto che in tutta una lunga vita, Mrs Derby ha amato veramente solo tre cose, le corse di cavalli, la torta di mele e il marito di sua sorella.

21 giugno 1888, si festeggia il millesimo treno arrivato alle cascate, e la cosa viene fatta con grande solennità e allegria in una giornata dal tempo primaverile.

21 giugno 1889, funerale del vecchio Jameson. Sole, caldo asfissiante. Al ritorno dal cimitero qualcuno ricorda una leggera pioggia che a Jameson figlio non risulta.

Durante i prossimi cinque 21 giugno, il mantra passa a Rachel. Come aveva fatto Smith, Wesson, dopo l'ultima volta che interviene, si tira una coperta sulla testa e da lì in poi se ne sta fermo, addormentato. Resta Rachel, in scena a portare il mantra fino al suo finale.

21 giugno 1890, si inaugura, in una tiepida giornata di sole, una lieta iniziativa che poi diventerà per cinque anni una tradizione locale: la gara di aquiloni. Secondo i miei calcoli le probabilità che in quel giorno, con un aquilone in mano, un concorrente potesse essere colpito da un fulmine erano intorno al 14 per cento.

21 giugno 1891, seconda edizione della gara di aquiloni. Bel sole, vince il figlio di McCorny, il birraio.

21 giugno 1892, terza edizione, giornata afosa, vince Jessica Jones, famosa per le sue trecce bionde.

21 giugno 1893, quarta edizione, cielo velato, vince uno straniero che sostiene di essere il campione mondiale di aquilone. È un italiano.

21 giugno 1894, quinta edizione, forte vento, temporale improvviso alle 4 e 30 del pomeriggio, il concorrente numero 19 viene preso in pieno da un fulmine e da allora è in grado di prevedere il futuro. La prima cosa che ha detto, appena ripresi i sensi, è stata: Il prossimo anno non si farà nessuna gara di aquiloni in questa dannata città.

21 giugno 1895, boh.

21 giugno 1896, in visita alle cascate, il noto illusionista Bardanovskij annota la tiepida serata in cui per la prima volta incontrò la contessina italiana Giulia Aberti, per cui poi si suicidò due anni più tardi.

21 giugno 1897, Non posso certo dimenticare di aver perso tutto al gioco il 21 giugno 1897, mi dice il vecchio Albert, né la sensazione di libertà inaudita con cui camminai per ore, subito dopo, sotto una pioggerellina dolcissima che non ho visto mai più, così stanca e indolore. Ora scrive romanzi d'amore, senza apparente successo.

21 giugno 1898, dopo tre giorni di pioggia battente, crolla uno sperone di roccia sul fronte ovest delle cascate, trascinandosi giù un giornalista tedesco che stava ammirando lo splendore delle cascate. Ci sarebbe da chiedersi se in fondo non sia una morte a suo modo accettabile.

21 giugno 1899, Matt Cork, rimasto impantanato col suo carro sotto un diluvio biblico, rinuncia al suo viaggio a Darmington, torna a casa a piedi e trova la moglie Elizabeth a letto con il fratello. Il fratello di lui, non di lei, ci tiene a specificare.

21 giugno 1900, in occasione del cinquantesimo giorno di siccità, il pastore Campbell si produce in un memorabile sermone sull'arca di Noè, poi riportato dal giornale locale nella rubrica *Colpi di sole*.

21 giugno 1901, la signora Higgins apre la nuova ala del Great Falls, e tutti sono concordi nel ricordare uno splendido ballo sotto le stelle.

21 giugno 1902, domani. Nella luce cristallina di una splendida giornata di sole, Rachel Green, ventitré anni, diventerà il primo umano al mondo a scendere dalle cascate del Niagara chiuso in una botte di birra, vuota, e passabilmente nuova. Nessuno più potrà dimenticare il suo nome.

SETTIMO MOVIMENTO, *Improvviso, poi Andante solenne.*

Una sciabolata di luce e poi buio, e un fortissimo rumore di acqua. Il teatro diventa la botte, e finisce in mezzo alle rapide.

Il teatro scivola nella corrente, salta dall'orlo delle cascate e dopo un volo di cinquanta metri piomba in acqua, scomparendo nei gorghi.

Nell'istante in cui scompare là sotto, l'audio cambia completamente, tutto è ovattato, lontano. In primo piano si sentono distintamente due cose: il carillon e il respiro di Rachel. Man mano che il carillon rallenta, sempre più scarico, il respiro di Rachel diventa più affannoso. Non bisogna avere paura della lunghezza: deve durare fino a diventare insopportabile. Gli ultimi respiri di Rachel sono quasi dei rantoli. Il carillon si arresta, su una nota sospesa. E in quel preciso momento il teatro schizza via dall'acqua. È percosso da una nuova sciabolata di luce e da un'onda sonora, di acqua, rapide, cascate. Un'esplosione fortissima e breve, che si spegne bruscamente.

Il teatro ritorna teatro e risprofonda nel buio e nel silenzio. C'è una sola luce puntata su una donna, seduta in centro. Cinquanta, sessant'anni. Non è necessario che sia bellissima, ma certo è vestita con un'eleganza ammirevole e ogni particolare in lei è curato e non casuale, dai capelli alle scarpe. C'è in lei una ricchezza composta che non si è mai vista negli altri personaggi. È chiaramente un pezzo di mondo che non c'entra con tutto quello che si è visto prima.

La donna parla con grande limpidezza, senza entusiasmi o commozioni, limitando al minimo i gesti, sicura nella sua bellezza. Non ha inflessioni sentimentali se non molto velate, e in ogni momento sarebbe difficile stabilire solo dal suo tono se sta per raccontare una tragedia o un lieto fine. Solo a tratti tradisce un calore per il quale non ha predilezione. Ha un'andatura lineare, che solo di tanto in tanto accetta dei rallentamenti. Non smarrisce mai forza, e non contempla neanche lontanamente l'eventualità di risultare noiosa. Non deve apparire odiosa, e neppure seducente. Il pubblico le deve stare attaccato dalla prima all'ultima parola, come se ascoltasse un'unica frase. Come se guardasse un'eclisse, o una barca passare su un fiume.

SIGNORA HIGGINS

La botte saltò fuori dall'acqua come se l'avessero sparata su. Volava. Mi ricordo una specie di grido soffocato, nella gente, come strozzato. Salì nell'aria fino a non pesare più niente, poi ricadde nel fiume. Ma se ci penso mi viene in mente una cosa lentissima, come di certo non fu. Il tempo diventa strano, in quei momenti, e c'è una sorta di eternità, in ogni dettaglio. Da bambini, il mondo è così. Forse la botte rimbalzò ancora una volta, non riesco a ricordare, la ricordo galleggiare, alla fine, come stranita, quasi immobile, prima di prendere la corrente, ma riluttante, quasi. Poi vedemmo il coperchio aprirsi, di scatto. C'era Wesson, di fianco a me, e ricordo distintamente la sua voce che diceva, piano, *No*, disse solo quello, *No*. Lì la superficie dell'acqua è quasi un lago, per una decina di metri, poi inizia a incresparsi, e diventare onda, e corrente. Vidi un braccio di Rachel, credo di averlo visto, che si sporgeva, altri videro la testa della ragazza, ma nessuno di noi in quel momento... era difficile capire. Non sapevamo neanche bene cosa sarebbe dovuto succedere, a quel punto, avevamo in mente il salto, ma come poi la si sarebbe recuperata, Rachel, non lo sapevamo, lo sapeva Wesson, e io lo guardai, ma solo vidi un uomo irriconoscibile che scrutava il fiume, cercava qualcosa. La botte iniziò a imbarcare acqua e a sparire, di tanto in tanto, nelle prime onde. A un certo punto non la vidi più, nessuno la vide più, ricordo il silenzio, assoluto. Poi un grido. Un altro. Negli occhi, per un attimo, proprio davanti a noi, ma in mezzo al fiume, uno sbuffo di bianco, quasi la schiuma di un'onda, ma era Rachel, il suo vestito, lei, trascinata dalla corrente, per un attimo, la botte no, non c'era più. Vidi Wesson entrare nell'acqua, poi tornare indietro e mettersi a correre giù per il sentiero che costeggia il fiume. Altri uomini, dietro di lui. Io immobile, in piedi. Ancora un attimo, Rachel, là in mezzo alle onde, con la testa rigirata all'indietro, a cercare aria, poi le rapide. Molta gente che correva. Le urla. Allora, camminando, senza correre, anch'io presi il sentiero, gli occhi sempre al fiume, nessun pensiero, nulla. Scesi per un tempo che non so, e all'altezza della vecchia baracca vidi la gente ferma, sul bordo del fiume. Ricordo i miei passi, come lancette, di che calma strana si può essere capaci. La gente che si scosta e mi lascia passare, sono la signora Higgins, se c'è una regina, alle cascate, sono io. Ringrazio con un cenno che loro conoscono e poi guardo, attenta a non muovere un muscolo del volto, perché è questo che si aspettano da me. Vedo Wesson inginocchiato, le mani posate, tutt'e due, sul capo di Rachel, ferme, come se tenessero fermo un animaletto. Credo che stesse dicendole qualcosa, ma davvero piano, erano cose solo per lei. Mi inginocchiai nel fango e quel che ricordo sono i miei occhi cercare qualcosa che fosse ancora vivo. Poi quello strano istinto a prenderle le mani e a ricomporle, le dita ordinate, i palmi rigirati in un modo che di nuovo fossero mani belle, eleganti. Questo strano bisogno di correggere le piccole imperfezioni, quando ormai è tardi per fermare l'enormità di un destino sbagliato. Ma magari era solo un automatismo femminile, una cosa tra me e lei, una tenerezza inevitabile. Io che di tenerezza non sono mai stata capace. Wesson si voltò a guardarmi e io gli feci un cenno. Lui sollevò le mani dal capo di Rachel. Così io la vidi, e non era più lei. Era una maschera grottesca, e io allora capii cosa voleva fare, Wesson, tenendo le mani appoggiate lì: voleva fermare il volto di Rachel prima che se ne scappasse via del tutto. La sua vita, quella se n'era andata troppo velocemente per la lentezza dei nostri passi e l'indecisione dei nostri cuori. Se l'era portata via il fiume, a cui con poca saggezza noi l'avevamo concessa. Ma la saggezza, vedete...

La sera prima, dissi a Rachel che venisse a ballare, al Great Falls, ma lei non volle, disse che aveva troppa paura. Non ho paura del salto, mi disse, non ho paura di morire, ho paura di stare là dentro. Non vada a dirlo a quei due, mi disse, ma io di stare chiusa in quella botte ho un terrore micidiale. Impazzirò là dentro, mi disse. Non pensarci, dai, vieni a ballare, le ripetei. Non riesco a non pensare al buio là dentro, mi disse. Allora semplicemente la presi tra le mie braccia e la tenni stretta, io che non sono mai stata capace di tenerezza. Quel che avrei potuto dirle, per aiutarla, l'ho capito solo più tardi ripensando a quel giorno, al suo salto, alla sua follia. Le avrei dovuto dire che tanti saltano nello stesso modo via dalla loro vita, oltre se stessi, rischiando tutto per sentirsi davvero vivi. Avrei dovuto dirle che tutti lo fanno chiusi nelle loro paure, chiusi dentro la botte mefitica delle loro paure. Un posto piccolissimo, molto nero, dove sei solo, e fai fatica a respirare. Non c'è nulla che si possa fare per cambiare le cose e già si è fortunati se qualcuno ha avuto per noi l'attenzione di mettere una piccola musica, là dentro; o se capita di avere un amico ad aspettarci in un'ansa del fiume per riportarci a casa, in una qualche casa. Questo, le avrei dovuto dire. Invece solo la strinsi fra le mie braccia, e non fui capace di dire niente. Piccola Rachel... Davvero si sarebbe meritata un giorno di gloria, lei e quegli altri due matti, sa il cielo come mi mancano. Ma non è andata così, spesso non va così. Si semina, si raccoglie, e non c'è nesso tra una cosa e l'altra. Ti insegnano che c'è, ma... non so, io non l'ho mai visto. Accade di seminare, accade di raccogliere, tutto lì. Per questo la saggezza è un rito inutile e la tristezza un sentimento inesatto, sempre. Seminammo con cura, tutti, quella volta, seminammo immaginazione, e follia e talento. Ecco cosa abbiamo raccolto, un frutto ambiguo: la luce bella di un ricordo e il privilegio di una commozione che per sempre ci renderà eleganti, e misteriosi. Voglia il cielo che questo basti a salvarci, per tutto il tempo che ci sarà dato, ancora.

OTTAVO MOVIMENTO, *Allegro.*

Smith e Wesson sono vestiti uno tutto di blu e l'altro tutto di rosso. Iniziano con un piglio da venditori alla fiera, rivolti al pubblico. Poi continuano come cavolo gli pare, ma sempre rivolti al pubblico.

SMITH
Attualmente risiediamo in Messico, bellissimo paese.
WESSON
Se non altro, un paese in cui il signor Smith non è ricercato per truffa e bancarotta.
SMITH
Dettagli!
WESSON
Ce la caviamo con un tirassegno.
SMITH
Business, tra l'altro, dalle notevolissime prospettive.
WESSON
"Smith&Wesson, spara con noi". Bisogna vedere 'sta cosa come attira i messicani.
SMITH
Il baraccone è un capolavoro di tecnologia e falegnameria. Assemblato su quattro ruote gommate, si smonta in 16 secondi e pesa solo 314 chili, fucili compresi.
WESSON
Così ci attacchiamo i nostri due muli, e siamo bell'e che pronti per partire.
SMITH
Nome dei due muli?
WESSON
Isotta e Fraschini.

SMITH
Incassi alla settimana?
WESSON
E che cavolo ne so?
SMITH
Ingenti!
WESSON
Ingenti!
SMITH
Tuttavia, non è di questo che volevamo parlare.
WESSON
No, in effetti.
SMITH
È di un'altra cosa. Vuole spiegare lei?
WESSON
No, no, faccia lei, che è più preciso.
SMITH
Grazie.
WESSON
Più noioso, ma più preciso.
SMITH
Noioso?
WESSON
Ho detto preciso.
SMITH
Ah, avevo sentito noioso.
WESSON
Strano, io ho detto noioso e preciso.
SMITH
Ah, ecco.
WESSON
O forse solo preciso, non mi ricordo.

SMITH

No, no, ha detto noioso e preciso.

WESSON

Sì, è possibile, ha ragione.

SMITH

Grazie.

Si fermano un attimo. Non gli quadra tanto la faccenda. Poi lasciano perdere.

WESSON

Va be'.

SMITH

Va be'.

WESSON

Volevamo dire che Rachel non l'abbiamo dimenticata. Cioè, noi siamo qui per lei. Non qui in Messico, dico, ma in generale, noi ci alziamo al mattino e molti dei gesti che facciamo... Non doveva spiegarla lei?

SMITH

Se mi lascia parlare...

WESSON

No, ecco, adesso mi ricordo, tutto nasce da una sera, qualche giorno prima del salto, eravamo nella mia baracca e a un certo punto Rachel ci chiede: Cosa mi perdo?

SMITH

Se muoio in quelle cascate, cosa mi perdo? Voleva sapere della vita, cosa si perdeva della vita. Lo voleva sapere da noi.

WESSON

Allora il signor Smith si è messo a fare tutta una relazione... molto dettagliata... e insomma a un certo punto Rachel lo interrompe e si mette a dire le cose che della vita piacevano a lei. Le cose che le piaceva fare e che le sarebbero tremendamente mancate se mai fosse morta in quel salto. E ne disse tante.

SMITH

Ventuno.

WESSON

Tante. Ma erano da lei, naturalmente, un po' strane, non so...

SMITH

Avere sempre in tasca un chiodo da toccare con la punta delle dita. Uscire dalle stanze lasciando la porta aperta, dietro. Vestirsi tutta dello stesso colore, ma sempre di un colore diverso, tutti i giorni.

WESSON

Erano tutte cose...

SMITH

Mangiare a letto e andare a dormire tra le briciole.

WESSON

Gesti. Ma anche alcune cose grandi che in effetti non aveva mai fatto, ma che aveva in mente di fare prima o poi.

SMITH

Girare con un tirassegno, per le fiere dei paesi.

WESSON

A un certo punto disse perfino: Credere in dio. Disse che le sarebbe maledettamente piaciuto credere in dio.

SMITH

Era il tipo che se ne stava delle ore seduta in una chiesa, mica perché andasse a pregarci, no, solo per il piacere di stare lì. Che poi è una cosa che non avevo mai capito, prima, e invece...

WESSON

Gli racconti quella del prete di El Paso...

SMITH

Ma no, adesso...

WESSON

Stavamo seduti in una chiesa fuori da El Paso, nel nulla, stavamo lì da un po', a fare come Rachel, no?, e a un certo punto arriva un prete.

SMITH

Ma lasci stare, non gli interessa...

WESSON

Lungo lungo, magro magro. Si avvicina e chiede...

SMITH

No, *io* mi avvicino: era un prete, mi è venuto in mente che magari poteva esserci utile, quindi mi avvicino e molto rispettosamente gli dico: Mi scusi, siamo qui di passaggio, stavamo chiedendoci io e il mio collega se c'è un modo per iniziare a credere in dio quando uno proprio non ci crede.

WESSON

Il prete rispose con una domanda.

SMITH

"È vostro quel mulo che sta cagando sul sagrato?"

WESSON

Poi sollevò un fucile da caccia e sibilò qualcosa come: Fuori da qui.

SMITH

Si trattava però di un bel modello della Smith&Wesson, e ne uscì una piacevole conversazione sulla curiosa coincidenza dei nomi, alla fine abbiamo fatto amicizia.

WESSON

Ci siamo un po' fermati da lui, il signor Smith ha riparato il sistema delle campane, io ho rimesso un po' a posto nella legnaia, dei giorni gradevoli, no?

SMITH

Gradevolissimi.

WESSON

Alla fine salutandoci ci disse: Per quella storia del credere in dio... Vi serve proprio?

SMITH

È per fare un regalo a un'amica, gli dico.

WESSON

Ha scosso un po' la testa, poi ha detto: Non potete cavarvela con un gioiello?

SMITH

Via, è tardi, dobbiamo aprire il tirassegno. Andiamo.

WESSON

No, era per dire che... a quella ragazzina piacevano delle cose, della vita, e così... tanto noi di nostro non avevamo poi tutti quegli impegni...

SMITH

No, be', insomma...

WESSON

Lei fa le statistiche, d'accordo...

SMITH

Io ho in tasca 869 giorni messicani, e ho appena iniziato...

WESSON

Quello sì, certo, e anch'io... non si ha idea di quanti fiumi ci siano da leggere al mondo, cioè adesso che viaggio, ho scoperto che scrivono tutti nella stessa lingua, cioè non era quel fiume là, sono proprio tutti i fiumi che sono scritti in un modo, con le stesse...

SMITH

Si sta un po' disunendo.

WESSON

Eh?

SMITH

Deve essere più chiaro.

WESSON

Che ne so. Guardo i fiumi.

SMITH

Perfetto.

WESSON

Perché dicevo questo?

SMITH

No, per dire che abbiamo tutto 'sto tempo che ci cresce e...

WESSON

Ah, ecco... abbiamo una vita e Rachel no, così tutte quelle cose che lei si è persa...

SMITH

Scrivere!, cazzo, ci siamo dimenticati proprio quella...

WESSON

Non l'ho dimenticata, speravo che non se ne parlasse...

SMITH

Più di ogni altra cosa, disse quella sera, mi piace scrivere. E poi ci chiese: Dove diavolo finiranno, se muoio, i libri che non scriverò?

WESSON

Purtroppo adesso abbiamo la risposta.

SMITH

Ecco. [*Recupera una borsa, lì vicino, la apre e tira fuori dei volumazzi rilegati alla buona.*]

WESSON

Grottesco. Li ha scritti lui.

SMITH

Lei fa cena sempre a letto e va a dormire in mezzo alle briciole? Io scrivo libri. [*Prende in mano i libri a uno a uno e legge i titoli*] *Svogliata ascesa e incomprensibile caduta del signor Pimmer, Quattro fratelli unici, L'affondamento dell'ospedale di Ballington...* Tutti romanzi d'avventura.

WESSON
  Be', adesso il termine avventura forse è un tantino eccessivo.

SMITH
  Cosa vuole dire?

WESSON
  No, niente, però io mi chiedo, già che li scrive, cosa le costa movimentarli un po'?

SMITH
  Sono movimentatissimi!

WESSON
  La sua idea di movimentato è uno che si taglia un neo facendosi la barba!

SMITH
  Perché gli sparano!

WESSON
  Ma gli sparano otto pagine prima!

SMITH
  Perché gli sparano da lontano!

WESSON
  Lo colpivano prima se gli mandavano il proiettile per posta!

SMITH
  Macchecazzo di... [*Si blocca. Tace per un attimo e si ricompone. Torna calmissimo*] Sono molto maturato. Ti succedono delle cose nella vita che ti fanno crescere. Comunque non li pubblico, eh?, li scrivo, li scrivo solo... E lo so che è ridicolo. Ma quando qualcuno muore, non c'è molto altro da fare che...

WESSON
  Va be'.

SMITH
  Va be'.

WESSON
  Dobbiamo proprio aprire il tirassegno.

SMITH
Non che i messicani ci tengano particolarmente alla puntualità...
WESSON
Ma noi sì.
SMITH
Noi sì.
WESSON
Quindi è ora.
SMITH
Sì.

Fanno per alzarsi, ma in realtà se ne stanno lì. Si capisce che c'è ancora qualcosa da dire, ma che non viene fuori. Guardano il teatro. Alla fine è Wesson che parla.

WESSON
Ma una cosa proprio ce la chiese lei: Se non ne esco viva, ci disse, per favore, tutte le volte che potete, raccontate la nostra storia. Trovate qualcuno che abbia tempo o voglia di ascoltare, e raccontategliela. Non importa se ne inventate dei pezzi o se... Basta che la raccontiate meglio che potete. Ogni volta come se fosse la prima, o la più bella.

Rimangono lì, zitti, per tutto il tempo necessario. Poi Smith tira fuori un peluche, una piccola giraffa di peluche.

SMITH
Per quelli che fanno centro ho inventato un delizioso omaggio, degli animaletti pelosi fatti di stoffa, soffici, puoi anche scegliere l'animale, metti che prediligi il ca-

storo, c'è il castoro, ma abbiamo anche serpenti, civette, gnu...

WESSON
È sorprendente come i messicani li apprezzino.

SMITH
Li tirano in aria e li prendono a fucilate.

FINE

Indice